Aires de familia

Carlos Monsiváis

Aires de familia

Cultura y sociedad en América Latina

EDITORIAL ANAGRAMA

BARCELONA

Diseño de la colección:
Julio Vivas
Ilustración: escena del «Grito», vista por Abel Quezada (detalle)

© Carlos Monsiváis, 2000

© EDITORIAL ANAGRAMA, S.A., 2000
Pedró de la Creu, 58
08034 Barcelona

ISBN: 84-339-0597-X
Depósito Legal: B. 18497-2000

Printed in Spain

Liberduplex, S. L., Constitució, 19, 08014 Barcelona

El día 28 de marzo de 2000, el jurado compuesto por Salvador Clotas, Román Gubern, Xavier Rubert de Ventós, Fernando Savater, Vicente Verdú y el editor Jorge Herralde, concedió, por unanimidad, el XXVIII Premio Anagrama de Ensayo a *Aires de familia*, de Carlos Monsiváis.

Resultó finalista *José Martínez: la epopeya de Ruedo ibérico*, de Albert Forment.

A Lilia Rossbach y José María Pérez Gay

ADVERTENCIA PRELIMINAR

En la primera mitad del siglo XX, hablar de cultura en América Latina es afirmar el corpus de la civilización occidental más las aportaciones nacionales e iberoamericanas. No obstante el antiintelectualismo prevaleciente, la devoción por el conocimiento es muy grande, y el lema de la Universidad Nacional Autónoma de México, «Por mi raza hablará el espíritu», creado por José Vasconcelos, admite y exige la siguiente traducción: los únicos autorizados para hablar en nombre de la raza (el pueblo) son los depositarios del Espíritu, los universitarios, la gente letrada. Guiados por esta fe en los poderes de la minoría selecta, los grupos de intelectuales y artistas producen obras de consideración, y defienden, crean, investigan.

En la segunda mitad del siglo XX la modernidad lo es todo, y se aprecia en grado sumo la cercanía con el tiempo cultural de las metrópolis, el romper el círculo del atraso señalado por la frase de Alfonso Reyes: «Hemos llegado tarde al banquete de la civilización occidental.»

De modo inevitable, el crecimiento de la enseñanza media y superior hace de las universidades, durante el auge de las dictaduras y los regímenes autoritarios no militarizados, un espacio natural de resistencia. La cultura deja de ser lo que separa a las élites de las masas y se vuelve, en teoría, el

11

derecho de todos. Y se niega la marginalidad cultural de América Latina, o por lo menos se niega el carácter eterno de tal condición. Una minoría muy activa revaloriza los esfuerzos pasados y presentes, y acepta que es posible estar al día con actitud francamente internacional. Cesan o disminuyen considerablemente las sensaciones de inferioridad con respecto a los centros del conocimiento. Eso no provee automáticamente de bibliotecas ni dota de infraestructura a la investigación científica, pero sí corta de raíz las sensaciones del aislacionismo. También, el surgimiento de la gran industria cultural y del espectáculo modifica el panorama, con resultados de toda índole. Por el lado positivo, un sector enorme, antes carente de información mínima, hace uso de las ofertas de los clásicos de la literatura, de Bach y Beethoven y Mozart, de las exposiciones de Picasso o de Diego Rivera. Se lee más, se divulga la música clásica, y el arte clásico y el contemporáneo consiguen espectadores numerosos. Son vastos los sectores que, a su manera, disfrutan de obras maestras de Occidente y, con frecuencia creciente, de productos de otras culturas. Y gracias en muy buena medida a sus grandes creadores en órdenes muy diversos, los latinoamericanos son parte ya del proceso internacional.

Este proceso es el tema del libro.

DE LAS VERSIONES DE LO POPULAR

Al fragor de las guerras de independencia, aparecen o se promueven las nuevas identidades (lo peruano, lo boliviano, lo argentino, lo paraguayo, lo guatemalteco, lo mexicano), a las que urge colmar de referencias y significados. Si a los textos de historia se les encomienda el aprovisionamiento de símbolos, leyendas, mitos y realidades, a los escritores se les encarga las descripciones de costumbres y la creación de personajes y atmósferas reconocibles e irreconocibles; se les encomienda, en suma, los estímulos que anticipen la fluidez del destino nacional, y si se puede del propósito civilizador. Y los escritores proceden, a sabiendas de que les rodean el atraso, la inhumanidad de los caudillos, la indiferencia de la sociedad. Afirma a fines del siglo XIX el poeta Amado Nervo:

> En general, en México se escribe para los que escriben. El literato cuenta con un cenáculo de escogidos que lo leen y acaba por hacer de ellos su único público. El *gros public,* como dicen los franceses, ni lo paga ni lo comprende, por sencillo que sea lo que escribe. ¿Qué cosa más natural que escriba para los que si no lo pagan lo leen al menos?

Al precisar el carácter de quienes *no* los leen, los escritores suelen identificar tres núcleos fundamentales: sus semejantes (que otros llaman la élite), el Pueblo (en el siglo XIX, lo que hoy sería sinónimo de clases medias) y la gleba, «el gran obstáculo para el Progreso», en su versión de indígenas remotos o de parias urbanos. El Pueblo, de modo lejano, pertenece a la nación; la gleba no, está siempre a las afueras, es la horda anónima, desbordante de voces y rostros pintorescos y amenazadores y, por tanto, hondamente alegóricos. Si la Barbarie con mayúsculas es asunto del campo (bien lo dijo Sarmiento) y de ese trato íntimo con la selva y el llano que incorpora a los hombres a la Naturaleza, la impiedad urbana se descarga sobre quienes, al no pertenecer a las «categorías del respeto» social, sólo tienen derecho, en su calidad de sombras, a la impresión costumbrista. ¿A qué más podrían aspirar los carentes de toda información y, casi por lo mismo, de todo poder? Al dibujo alegórico, a las frases como epitafios, a los adjetivos estremecedores, a las anotaciones desolladoras o conmiserativas.

No es tanto asunto de autores como de literaturas. ¿Quién evita culturalmente durante siglo y medio el desprecio a la masa irredenta, movida por impulsos primarios, ajena a los cambios? Las revueltas incesantes, los caudillos que emblematizan el gobierno posible, las tiranías efímeras o permanentes, la empleomanía, la falta de editoriales y librerías, la sujeción agotadora al periodismo, todo lo identificado con el atraso nacional o las limitaciones de los países periféricos agrava el odio contra esa condición inerme de la barbarie, la pobreza. Por eso, el adiestrado en los privilegios abunda en diatribas antipopulares. Está al tanto: el límite de sus pretensiones es la falta de público, y el sitio marginal de su nación destruye las pretensiones de lanzamiento universal. Al no ser europeos, los escritores carecen de mercado interno y (si se les antoja) prevén con detalle las reacciones de cada uno de sus lectores. Ergo: el culpable del aislamiento es el vulgo. Francisco Bulnes, un intelectual de la dictadura de Porfirio Díaz, detesta a la canalla: «... no la canalla, baja, de la calle,

14

sino la canalla proletaria, educada, viciosa, cobarde, envidiosa, deshonesta y disoluta». José Vasconcelos decreta: no «existe más vil espectáculo que el de un pueblo embriagado de su propia ineptitud, como enfermo desahuciado que se recrea en sus llagas».

La mejor novela mexicana del siglo XIX *(Los bandidos de Río Frío,* de Manuel Payno), excelente recuento de costumbres y lenguajes populares, es un proyecto mural que comprime, sin demasiados distingos, a burgueses y vendedores de flores, a jefes de policía que encabezan el hampa y abogados siempre fraudulentos, a héroes y asaltantes, a vírgenes y asesinos lascivos. Pese a su amplitud descriptiva, las leyes de la época se imponen, y la intención de realismo de Payno se entrena en las fatalidades de clase y de nación: no hay salida para las criaturas de la penuria porque su origen es su mala suerte, y la pobreza es un error moral, un defecto *ontológico* a partir de un hecho: la imposibilidad de elegir.

Payno también lo sabe: o la novela es popular o no es nada, porque ése es el único paisaje humano a la vista. La burguesía es invisible, o nadie la describe a fondo, y las clases medias son, si algo, populares. Todavía está lejana la idealización de la pobreza (simultáneamente fatal y redentora) que proclamarán el melodrama literario y el cinematográfico. La novela del siglo XIX es clasista y así debe serlo en el universo de categorías inescapables, donde la más rara de las costumbres es la movilidad social. Pero, también, deja de ser clasista al describir con calidez atmósferas y modos de vida, y al trazar positivamente personajes «de las clases bajas». Y si en esta literatura son muy escasos los temas alejados de lo popular, también «la gente no decente» sólo tiene derecho a la ubicación simbólica. ¿A qué otra representación aspiran los marginales, los eliminados de todo poder, incluido el de compra de libros?

A lo largo de la segunda mitad del siglo XIX y las primeras décadas del siglo XX, se da un reconocimiento forzado: la

15

pobreza es injusticia sentimental, y la simple ausencia de bienes no constituye a los pobres. Hace falta desplegar la existencia servil. Metáforas del vicio y la resignación, los pobres ornamentan las novelas del naturalismo como ángeles caídos: no intuyeron la decencia y la degradación los consumió, o –lo más frecuente– nacieron viles y refrendaron el estigma con su abandono. Según el naturalismo, lo popular es sordidez, falta de control, olores insalvables, inmoralidad impuesta por los rasgos faciales y el color de la piel, animalización que es credo de la sobrevivencia. En *Santa* (1903), el primer best-seller de México, Federico Gamboa describe a la plebe (convenientemente animalizada) un 15 de septiembre:

> Por dondequiera, vendimias, lumbraradas, chirriar de fritos, desmayado olor de frutas, ecos de canciones, fragmentos de discursos, arpegios de guitarra, lloro de criaturas, vagar de carcajadas, siniestro aleteo de juramentos y venablos; el hedor de la muchedumbre, más pronunciado; principio de riñas y final de conciliaciones; ni un solo hueco, una amenazante quietud; el rebaño humano apiñado, magullándose, pateando en un mismo sitio, ansioso de que llegue el instante en que vitorea su independencia...

He aquí a un reaccionario gozoso, un enemigo intransigente de lo popular. Y su actitud representa la de un sector, así éste no sea tan beligerante. Gamboa describe, con palabras estremecidas, las reservadas a las situaciones góticas en otras literaturas, el escenario de la pobreza:

> Para arribar a tan ruin anclaje, anduvo Santa la Ceca y la Meca, lo mediano y lo malo que las grandes ciudades encierran en su seno como cutáneo sarpullido que les produce un visible desasosiego y un continuo prurito, que únicamente la policía sabe rascar, y que contamina a los pobladores acomodados y los barrios de lujo. Es que se

sienten con su lepra, les urge rascársela y aliviársela, y a la par despiértales pavor el que el azote, al removerlo, gane los miembros sanos y desacredite a la población entera. En efecto, si la comezón aprieta y la policía rasca, sale a la cara la lepra social, se ven en las calles adoquinadas, las de suntuosos edificios y de tiendas ricas, fisonomías carcelarias, flacuras famélicas, ademanes inciertos, miradas torvas y pies descalzos de los escapados de la razzia, que se escurren en silencio, a menudo trote, semejantes a los piojos que por acaso cruzan un vestido de precio de persona limpia. Caminan aislados, disueltas las familias y desolados los parentescos: aquí el padre, la madre, allí el hijo por su cuenta, y nadie se detiene, saben dónde van, al otro arrabal, al otro extremo, a la soledad y a las tinieblas.

La Naturaleza Voraz

Para la mayoría de los lectores de esta narrativa (casi sin distinción de clases) *el Pueblo* es *lo típico*, y la gran identificación entre masas doblemente anónimas y *el Pueblo* se expresa con definiciones tajantes cuyo ejemplo es la narrativa realista. El cielo de los deseredados es la anécdota histórica, el sacrificio sin recompensas sociales es la técnica de ocultamiento, la risa vulgar es el idioma de la incomprensión, los ideales son los templos del resentimiento, y sólo la entrega forzada a la época —el río que todo lo arrasa, el caudal de sangre que todo lo redime— justifica a los pobres en su martirio anónimo.

En la narrativa realista de Perú, Colombia, Venezuela, Ecuador, México, los domeñadores de la Naturaleza pagan su hazaña trasmutándose ellos mismo en Naturaleza cruel. En las obras de Mariano Azuela *(Los de abajo, Los caciques, Las moscas),* José Eustacio Rivera *(La Vorágine),* Ciro Alegría *(El mundo es ancho y ajeno),* Rómulo Gallegos *(Doña*

17

Bárbara, Canaima, Cantaclaro), Jorge Icaza *(Huasipungo),* Rafael F. Muñoz *(Vámonos con Pancho Villa, Se llevaron el cañón para Bachimba),* Martín Luis Guzmán *(La sombra del caudillo, El águila y la serpiente),* Miguel Ángel Asturias *(El Señor Presidente, Los hombres de maíz),* y en la serie de cuentos y novelas que exploran luchas armadas, devastaciones de los hacendados y las compañías norteamericanas y europeas, dramas del etnocidio y conquistas de la selva y la montaña, se desenvuelve una visión del Pueblo, entidad al principio generosa, diezmada o pervertida si quiere modificar su destino, engañada por sistema, desaparecida sin enterarse de cuáles son sus errores o sus aciertos, que perdura amargamente y combina de modo orgánico el idealismo y la crueldad.

En *Los de abajo* la narración abunda en matices, y ejemplifica las razones últimas de los campesinos que se van a la revolución porque nada tienen que perder. Sin embargo, a la complejidad del relato la contradicen las reflexiones del autor, en boca de su personaje autobiográfico, el idealista Alberto Solís:

... Hay que esperar un poco. A que no haya combatientes, a que no se oigan más disparos que los de las turbas entregadas a las delicias del saqueo; a que resplandezca diáfana, como una gota de agua, la psicología de nuestra raza, condensada en dos palabras: ¡robar, matar!... ¡Qué chasco, amigo mío, si los que venimos a ofrecer todo nuestro entusiasmo, resultásemos los obreros de un enorme pedestal donde pudieran levantarse cien o doscientos mil monstruos de la misma especie!... ¡Pueblo sin ideales, pueblo de tiranos!... ¡Lástima de sangre!

18

El realismo como admonición

En la primera mitad del siglo XX, abundan los personajes novelísticos sin Psicologías Trascendentes según las normas de la literatura «civilizadora». ¿Cómo podrían tenerlas si
carecen de costumbres refinadas y lenguaje sugerente, si son
pobres en una palabra? Y estos personajes, nunca cabalmen-
te individualizados, importan por ser las víctimas que serán
victimarios, las tragedias nómadas, los finales sin principio
concebible. Cuando las novelas aparecen, la mayoría de los
lectores (incluidos los progresistas) ven en sus personajes populares –con la retórica espantadiza de la época– a enviados
plenipotenciarios del Monstruo-de-Mil Cabezas, seres de simpleza tal que no son propiamente humanos.

En la práctica narrativa, el Pueblo es aquello que no
puede evitar serlo, la suma de multitudes sin futuro concebible, el acervo de sentimentalismo, indefensión esencial y
candor que hace las veces de sentido de la Historia y del arte.
El nacionalismo es el patrimonio ideológico y el repertorio
de vítores y maldiciones de los pobres, su contacto más entrañable con la nación. En los relatos, el Pueblo es por lo
común la furia del mar en movimiento, y su huella notoria
es el recomenzar infinito, adelantarse sin llegar nunca, evolu-
cionar sin modificarse en lo mínimo.

En el vértigo del simbolismo, llámese a estos símbolos
de la destrucción *Canaima, Doña Bárbara, La Vorágine* o *La
Revolución*, lo no sujeto a controles humanos cobra caro la
intensidad que proporciona, y el Pueblo existe sólo para ser
elevado un instante por las fuerzas que lo aplastarán sin remedio. «Jugué mi corazón al azar y me lo ganó la violencia»,
declara famosamente Arturo Cova en *La Vorágine*. Y a los
carentes de recursos los gana la violencia sin siquiera la dicha
del albedrío. De tener corazón, ya el determinismo lo arren-
dó sin remedio.

De principios del siglo XX a los sesenta (con prolongaciones actuales), el segundo gran acercamiento al Pueblo se da en respuesta al realismo literario. Algunos de los mejores, al novelar los sucesos de la plebe o de los seres degradados en lo anímico y lo económico, se reservan el derecho de un lenguaje clásico donde el estilo literario es el equivalente de la distancia espiritual. Para alejar a la gleba y los marginales, conviene el valladar de la Alta Cultura (entonces, y grosso modo, una selección ritual de lo mejor del canon de Occidente en versión francesa). Demostración nítida: el hermoso libro de crónicas de Martín Luis Guzmán *El águila y la serpiente*, de 1928, donde una etapa de la lucha armada en México (1910-1915) es recreada por un idioma culto, colmado de referencias librescas, de alusiones mitológicas, de ennoblecimientos de esa pesadilla latinoamericana: la retórica neoclásica. Guzmán ve a las turbas revolucionarias aniquilarse entre sí en plena ebriedad, al lugarteniente de Villa Rodolfo Fierro asesinar personalmente a trescientos prisioneros, al militar honrado que se enfrenta al pelotón de fusilamiento sin derramar la ceniza de su puro, el Palacio Nacional sojuzgado por los indios. En el capítulo «Una noche de Culiacán» refiere Guzmán la condición de la ciudad en los días siguientes al sitio, casas abandonadas, tiendas saqueadas, desolación, y las inevitables «imágenes lúgubres»:

Y una imagen se agita entonces en la memoria, se apodera del espíritu y le comunica su estremecimiento: se ve a Eneas abrazando en vano la sombra de Anquises bañada de lágrimas que no mojan.

Eneas y Anquises en la Revolución, y el espíritu clásico redime el tema del populacho. Esta salvación por el pasado grecolatino es la visión idiomática que aborda la tragedia desde un idioma «burilado», clásico. Y los episodios de la devastación apenas disimulan una doctrina que se quiere irrefutable: si las alegorías captan al Pueblo adecuadamente, es porque el Pueblo en su mejor momento es sólo una alegoría, la zona de arquetipos y abstracciones donde las virtudes son las propias de la nobleza en el abismo, y cada personaje siempre es legión (todos los pobres son iguales, todo pobre es emblemático). Los peones que asesinan al patrón para tener una prueba fehaciente de su paso por la vida, los parias ávidos del habla en donde ocultarse del impacto de la urbe, los campesinos tan olvidados que apenas retienen sus propios nombres, las prostitutas que entregan su corazón a cambio de la sífilis, los curas de aldeas perdidas cuyo único mobiliario es el rencor a Dios, los escribientes corruptos..., cada estereotipo del realismo testifica por el conjunto llamado Pueblo. No toda esta narrativa desciende al cepo de las insignias, y lo más vital se evade de los apresamientos mitológicos, pero en su mayor parte (más el agregado de ensayos y artículos) el Pueblo es la galería donde sólo por excepción brotan los rasgos personalizados.

La selva de concreto

A las «convicciones telúricas» (la narrativa donde la Naturaleza es la protagonista, la ferocidad activa que se opone al Progreso) la complementan cuentos y novelas urbanos donde la ciudad es la «selva de concreto» y el Pueblo es el «destino impuesto», que continúa la saña de la Naturaleza por otros medios. «Hojas secas», «fruta caída del árbol frondoso y alto de la Vida», estos personajes de la marginalidad se alegran frustrándose en paisajes sórdidos, le llaman «condena» a su origen de clase, convierten su tipicidad en nicho pararreligioso y si alcanzan finales felices es con el telón de fondo de la resignación o la desesperanza. Uno de los grandes novelistas de las primeras décadas del siglo XX, Roberto Arlt (1900-1942), luego de *El juguete rabioso* (1926), en *Los siete locos* (1929) y *Los lanzallamas* (1931) elige un antihéroe,

21

Erdosain, que se mueve en la «zona de angustia, la consecuencia del sufrimiento de los hombres». No hay dinero ni porvenir dentro de las instituciones, ni alegría. El Astrólogo, el representante de la conjura contra la marginalidad, va a fondo en su perspectiva desquiciada o exacta, como se prefiera:

> ... usted, Erdosain, y otros no se habitúan a las cosas y al modo en que están dispuestas. Quieren romper los moldes de vida, viven angustiados, como si fuera ayer el día en que los echaron del Paraíso. ¡Ejem!... ¿qué me dicen ustedes del Paraíso? No importa que ellos piensen barbaridades. Hay una verdad, la verdad de ellos, y su verdad es un sufrimiento que reclama una tierra nueva, una ley nueva, una felicidad nueva. Sin una tierra nueva, que no hayan infestado los viejos, esta humanidad joven que se está formando no podrá vivir (de *Los lanzallamas*).

En la obra de Arlt se extreman la pobreza y el encono y el Pueblo ni siquiera es paisaje de fondo. Como en la obra, igualmente radical y extraordinaria del uruguayo Juan Carlos Onetti, en los libros de Arlt la pobreza no genera comunidades solidarias, nada más desolaciones urbanas. Y de otra manera, con sitio mínimo para el optimismo de la voluntad, el determinismo de la pobreza también alcanza a novelas como *Adán Buenosayres* (1948), de Leopoldo Marechal, y *La región más transparente* (1958), de Carlos Fuentes. El Pueblo se expresa o, más bien, se escribe y se lee como la ronda de seres «intercambiables» en escenarios donde lo de menos es la voluntad humana. A este prejuicio esencial se añaden en novelas y cuentos otras características «negativas»:

    – Se percibe el habla popular (requerida para hacerle justicia de una comprensión de los gestos y del sentido variable de las palabras clave) como la vivacidad sin elaboración, el idioma circular que jamás distingue entre premisas y conclusiones (el «cantinflismo»).

– Se presenta como «natural» la oposición congénita entre los términos *cultura* y *Pueblo*. ¿Cómo darle el sello de aprobación a los renuentes a elevar su espíritu? Esto corresponde a la batalla narrativa donde unos intentan retener lo popular en-su-sitio (el rincón de los lugares comunes clasistas), y otros se obstinan en recrear –«reflejar» se dice entonces– conductas «infalsificables».

– Se prodiga la fe en la nobleza intrínseca del Pueblo, lo que da lugar a obras maestras, y –¿quién lo evita?– a una industria populista, cuyo razonamiento básico es su propio «sello de garantía»: si capto lo «genuino del pueblo» (su tipicidad), lo redimo y le otorgo a mi producción el sello de lo verídico.

– Ni liberales y conservadores, ni izquierdistas y derechistas, controvierten una tesis: el pueblo es *lo otro*, lo ajeno, únicamente dignificable si es paisaje o acatamiento de la tradición, degradado si es mera presencia, combativo si lo acorralan las circunstancias, dócil por lo común.

Lo popular: tipos, situaciones, personajes inolvidables –con frecuencia en la índole de los *unforgettable characters,* los personajes inolvidables del *Reader's Digest*–, es el cerco rumoroso que cede de antemano a cada escritor, los conozca o no, los utilice o no, los datos necesarios sobre el «Ser Nacional». En cualquier caso, *lo popular* es la entidad carente de conciencia de sí, o la conciencia usurpada y hecha a un lado.

Ya en la década de los cincuentas, en libros definitivos como *El Llano en llamas* y *Pedro Páramo* de Juan Rulfo, se quebranta un mito predilecto (el campo, última reserva de fiereza y de pureza). Y por un tiempo largo la narrativa educa a sus lectores en el cambio de paisajes: donde hubo naturaleza bucólica, hay rencores vivos; donde hubo seres estupefactos ante la gran urbe, hay el encierro coral del resentimiento. Con impulso que trasciende cuantiosamente a sus lectores específicos, los narradores enseñan métodos para descifrar el conjunto de lo real, apresado en personajes comunes o excéntricos, con la violencia como el perpetuo destierro del paraíso, y la catástrofe como la explicación más convincente del postergamiento de la democracia (o la civilización, como entonces se dice). Los novelistas forjan el punto de vista social y esto explica en gran medida el fervor con que se les intuye o lee. En un nivel, son un antídoto contra el optimismo político; en lo fundamental son plataforma de entendimiento de los poderes literarios, del método que convierte los personajes novelísticos en conocidos de los lectores: gobernantes, amigos, parientes, vecinos. Lo iniciado en el siglo XIX por unas cuantas novelas y numerosas crónicas se ramifica y amplía en la primera mitad del siglo XX, y los grandes novelistas son los taumaturgos de la materia prima de la sociedad.

¿Cómo se percibe lo vivido?

La modernización de América Latina, ya irreversible desde los años cuarentas, no modifica de inmediato la percepción literaria de lo popular. Al dogma de siglos que condena a los pobres (la falta de riqueza, *pecado original),* se le añade el veredicto de los ideólogos que ven el enemigo en el hombre-masa, la abstracción que a fin de cuentas nada más califica al «hombre común y corriente». Ni Gustave Le Bon en *Psicología de la multitud,* ni Ortega y Gasset en *La rebelión de las masas,* son voceros del capitalismo, pero su prédica a favor del individualismo supremo se opone a cualquier fe democrática. Todavía a mediados del siglo XX, las élites califican de «primitivos» a la mayoría de los habitantes de América Latina, y se complacen en la teoría del pueblo ignaro y abúlico, del «vulgo irredimible». Y a favor de su tesis ya no mencionan la ferocidad en los campos de batalla, sino los gustos deleznables o las cifras del consumo popular de películas, cómics, revistas, radionovelas, diarios deportivos... Esta degradación «gozosamente asumida» reafirma la-sentencia-en-la-pared: *la pobreza es una elección*, y quien nace pobre se obstina en seguir siéndolo, por desidia, pereza, o la felicidad que otorga la simpleza de alma. (Esto se agrava si se trata de indígenas, el «pueblo invisible» por antonomasia, de voluntad yerta y carácter circular.)

A la industria cultural que se afirma en los años cuarenta acuden empresarios ávidos de nuevas zonas de inversión, literatos en embrión o en decadencia, jóvenes intuitivos en pos del filón del porvenir. Ellos inventan la psicología del espectador promedio, basándose en sus prejuicios y, ocasionalmente, en sus juicios mitológicos. Y los asistentes a los cines exigen su representación en la pantalla, y les da igual si es a través de arquetipos o de estereotipos. Gracias a eso, surge masivamente la visión divertida y generosa de *lo popular*, alejada de la descripción de crueldades, angustias, desastres psicológicos que corresponden al desgaste prematuro de las vidas. Si el Pueblo colma las salas y los lugares que se improvisan como salas, lo hace para contemplar imágenes a fin de cuentas de alabanza a su condición. Surge, entre 1935 y 1955 aproximadamente, la idea de *lo popular* que domina el resto del siglo, que elimina o arrincona las cargas opresivas de los conceptos *gleba* y *plebe*, y exalta las comunidades sin futuro pero con un presente divertido y pleno de afectos mutuos. Esta vez, el cine por su cuenta modifica las versiones del Pueblo.

Las ciudades: la puntualidad del retraso

En las ciudades, la moral comunitaria es, fuera de las exaltaciones del cine y de la canción, fe individualista o memoria maltrecha, y debido a esa contradicción categórica entre lo que se considera *lo popular* y lo que se vive, el conjunto urbano es un ente hecho de limitaciones, alcances inesperados, permisividad discreta, prohibiciones a voz en cuello. Y en la definición del carácter de las ciudades, la literatura alcanza un nivel persuasivo muy amplio. Es perdurable el influjo mitológico de poemas y novelas, y si hay un Dublín de Joyce, una California de John Steinbeck, un condado de Yoknapathawpha de William Faulkner, también Lima o Bogotá o Santiago o Buenos Aires o la Ciudad de México se contemplan desde el mirador de los modernistas, los realistas sociales, los cronistas y los escritores ya exclusivamente urbanos.

El primero en hacer de la ciudad el personaje central es el argentino Leopoldo Marechal. En *Adán Buenosayres*, la ciudad es ya el escenario definitivo:

> ¡Númenes de Villa Crespo, duros y alegres conciudadanos; viejas arpías gesticulantes, como gárgolas, porque sí o porque no; malévolos gruñidores de tangos o silbadores de rancheras; demonios infantiles, embanderados con los colores de River Plate o de Boca Juniors; carreros belicosos que se agitaban en lo alto de sus pescantes y se revolvían en sus cojinillos, para canturrear al norte, maldecir al sur, piropear al este y amenazar al oeste! ¡Y sobre todo vosotras, muchachas de mi barrio, dúo de tacones y risas, musas del arrabal con la tos o sin la tos de Carriego el poeta!...

El arrabal, el barrio, los futbolistas, lo inmensamente popular. *Adán Buenosayres* combina la novedad (la ciudad como la gran revelación) con un idioma aún ligado al modernismo y los epítetos de la oratoria republicana. Y la gran ciudad (el triunfo de lo popular sobre las aspiraciones de exclusividad) es el personaje totalizador en *La región más transparente*, novela mural que asimila diversas lecciones, entre ellas y muy particularmente la de John Dos Passos en *Manhattan Transfer* y la trilogía *U.S.A.*, donde a la narración central la avivan

26

y alteran las biografías de los seres significativos, los noticieros, la visión de la urbe como inmensa desolación mecánica. Y Fuentes entrevera los símbolos prehispánicos y el habla cosmopolita, recurre al lirismo y la generalización abrupta («En México no hay tragedia: todo se vuelve afrenta»), y enumera de modo exhaustivo y compulsivo. El catálogo torrencial es un buen método de aproximación a la Ciudad de México:

> Su danza (nuestro baile) suspendida de un asta de plumas o de la defensa de un camión; muerto en la guerra florida, en la riña de cantina, a la hora de la verdad: la única hora puntual.

La ciudad de *La región* no es todavía el sinónimo de la destrucción urbana, el ecocidio y el hacinamiento. Más bien, es la entidad que a ciertas horas de la noche concede el trato igualitario que anuncia las costumbres que duran un mes antes de dar paso a las tradiciones semanales. Con poderío verbal, Fuentes ve en la ciudad el todo metafórico:

> Ven, déjate caer conmigo en la cicatriz lunar de nuestra ciudad puñado de alcantarillas, ciudad cristal de vahos y escarcha mineral, ciudad presencia de todos nuestros olvidos, ciudad de acantilados carnívoros, ciudad dolor inmóvil, ciudad de la brevedad inmensa, ciudad del sol detenido, ciudad de calcinaciones largas, ciudad a fuego lento, ciudad con el agua al cuello, ciudad del letargo pícaro, ciudad de los nervios negros, ciudad de los tres ombligos...

La región es una novela coral, y por tanto debe contener clases sociales y redenciones urbanas, el habla culta y el slang, la puta y la doncella, el poeta refinado y el productor de cine, la joven de sociedad y el chofer de autobús. En esta ciudad del debut del capitalismo moderno, localizable entre

1946 y 1952, vertiginosa y posbélica, todo se relaciona con todo. En el carnaval se combinan máscaras más confiables que los rostros, y sin unirse y sin escindirse las clases sociales bailan la conga de la madrugada. Véase el viaje citadino de Gladys, la prostituta:

Frente al Hotel del Prado, se topó con una comitiva de hombres altos y mujeres rubias, alhajadas, que fumaban con boquillas. Ni siquiera eran gringos, hablaban español...
—Rápido, *Pichi*, vamos a tomar taxi.
—Voy, *chéri*. Déjame arreglarme el velo.
—Nos vemos en casa de *Bobó*, Norma. No llegues tarde: para las orgías, puntualidad británica...
Y además, el canalla de *Bobó* cambia de la Viuda a Ron Negrita en cuanto se levantan los coros de las bacantes.
—¡Chao, viejita!
—*Toot-toot*.
y parecían dioses que se levantaban como estatuas, aquí mismo, en la acera, sobre las orugas prietas de los demás, ¡qué de los demás!, sobre ella que estaba fundida, inconsciente, hermana de los vendedores de baratijas *pochos*, *jafprais*, *berichip*, de los de la lotería, de los voceadores, de los mendigos y los ruleteros, del arroyo de camisetas manchadas de aceite, rebozos, pantalones de pana, cacles rotos, que venía hollando la avenida. Pero en el siguiente puesto, entre uno de bolsas de cocodrilo y otro de cacahuete garapiñado, gastó dos pesos en una boquilla de aluminio.

Acumulación, aluvión, economía de la ilusión y el desperdicio. Lo que John Dos Passos hace en *Manhattan Transfer* y Andréi Biely en *Petersburgo*, se aplica magníficamente a la ciudad latinoamericana. Sin duda, el caos es un imán narrativo para quienes conciben la urbe como un ente vivo, algo distinto a la conflagración de calles y estilos forzados de vida. Y la omnipresencia del caos es el preámbulo de la nueva creencia: nunca se aprovechará debidamente el caudal literario que la ciudad contiene; nunca se desgastarán las obsesiones que la ciudad autoriza. Raymond Williams, en *The Country and the City*, describe el proceso:

> Wordsworth lo advirtió: cuando nos sentimos inseguros en un mundo de extraños que sin embargo, y de manera decisiva, tiene un común efecto sobre nosotros, y cuando las fuerzas que alteran nuestras vidas se mueven en torno nuestro en formas al parecer externas e irreconocibles, podemos asilarnos, por seguridad, en una subjetividad profunda, o buscar en derredor las imágenes y los signos sociales, mensajes con los que, de modo característico, intentamos vincularnos como individuos con tal de descubrir, de algún modo, la comunidad.

Son escasas las vías expropiatorias de las claves de la vida moderna: la relación personal con la tecnología, el cine y la televisión (el acceso masivo, nunca personalizado); la música (el registro más inmediato y extendido de la sensibilidad contemporánea), y la literatura, el territorio clásico. Y, por esto, en América Latina los libros culminantes son «retratos de familia y de nación», y cumplen también funciones reservadas a la sociología, la psicología social, la historia.

«A mí se me hace cuento que empezó Buenos Aires»

Todavía en 1950, lo popular en la literatura latinoamericana es asunto de la sociedad, nunca del registro cultural. Los cambios se dan de manera al principio imperceptible o que se juzga casi filantrópica. Así, Jorge Luis Borges entrevera el tango, el malevaje, la milonga y los orilleros con espejos, tigres y eternidades. Para Borges lo popular radica en la tradición del coraje, la exaltación viril de los arrabales, los mitos del individuo que se oponen al hombre-masa. Y además del malevaje, acervo literario y simbólico al que acude selectivamente, Borges pregona la grandeza de géneros fílmicos entonces tan menospreciados como el western y el cine de gángsters, el abrevadero épico que continúa (y precede) a la mitología borgiana. (También Alfonso Reyes le confía a Carlos Fuentes: «El *western* es la epopeya de nuestro tiempo.»)

Es determinante la influencia del cine en la literatura mundial, y América Latina no es la excepción. Allí atrapan los escritores redes de imágenes, métodos narrativos, ideas sobre la relación del individuo con la historia y con las ciudades. «Los jóvenes, ahora, son respetuosos y optan por los prestigios de la urbanidad, no por los del martirio», escribe Borges en 1937, y él, en aras de la urbanidad que ya no cree en los absolutos de la moral, califica al cine de gángsters como la épica recién llegada. Según el crítico y director Edgardo Cozarinsky *(Borges y el cine)*, Borges toma del cine la posibilidad de vincular momentos o instancias memorables mediante una sintaxis menos discursiva que la verbal. Cozarinsky apoya su tesis en un fragmento del primer capítulo de *Evaristo Carriego*, donde Borges expone su técnica para hacerse literariamente del Palermo anterior al barrio que conoció:

Recuperar esa casi inmóvil prehistoria sería tejer insensatamente una crónica de infinitesimales procesos [...] Lo más directo, según el proceder cinematográfico, sería proponer una continuidad de figuras que cesan: un arreo de mulas vinateras, las chúcaras con la cabeza vendada; un agua quieta y larga, en la que están sobrenadando unas hojas de sauce; una vertiginosa *alma en pena* enhorquetada en zancos vadeando los torrenciales terceros; el campo abierto sin ninguna cosa que hacer; las huellas del pisoteo porfiado de una hacienda, rumbo a los corrales del Norte; un paisano (contra la madrugada) que se apea del caballo rendido y le degüella el ancho pescuezo; un humo que se desentiende en el aire.

El cine ya autoriza la nueva óptica que hace a un lado las perspectivas lineales y la lejanía aristocratizante. Si en una etapa la literatura repercute en el cine (de *Los de abajo* de Mariano Azuela extrae el cine mexicano lo esencial de su repertorio visual sobre la revolución), luego la influencia fílmica es preponderante en el estilo narrativo. Como pueden, novelistas y cuentistas adaptan los intercortes, el close-up, el plano americano, el zoom. Y, sobre todo, conceden a las atmósferas cinematográficas la calidad de literatura inesperada y deslumbrante. Lo real es lo que abrillanta la imaginación, o lo que mitifica lo antes sórdido.

Las diferencias regionales

Algunos libros y algunos personajes corren la suerte de la poesía modernista a fines del siglo XIX y principios del XX: su éxito trasciende ampliamente el ámbito de sus lectores específicos. En 1905 o 1915, los analfabetos declaman a Rubén Darío y Amado Nervo, y en 1985 o 1996, así lo ignoren los afectados, les conciernen en alguna medida concepciones artísticas que van de la literatura al cine, de la literatura a la televisión, de la literatura a la industria disquera. El caso óptimo de escritor que hace suya una parcela de la realidad es Gabriel García Márquez, cuya saga de Macondo crea cientos de miles de lectores, que encuentran en los relatos estímulos inesperados. En otro orden de cosas, importa sobremanera la reelaboración del sonido popular, el *cubano* de los personajes de Cabrera Infante, el *puertorriqueño* de los personajes de Luis Rafael Sánchez *(La guaracha del Macho Camacho, La importancia de llamarse Daniel Santos),* el mexicano de los personajes de Ricardo Garibay *(Acapulco, Las glorias del Gran Púas),* de Elena Poniatowska *(Hasta no verte Jesús Mío, Fuerte es el silencio, Nada, nadie...),* y de José Agustín *(La tumba, De perfil).*

Guillermo Cabrera Infante: «La dejé hablal asi na ma que pa dale coldel...»

Tres tristes tigres (1967) es, sobre todo, la admirable inclusión de la parodia entre los grandes géneros de la literatura en español, no la parodia como mera trasposición graciosa de estilos, sino como «democratización de los clásicos» y esencialización del habla, del pensamiento, del tono literario. Con calidad óptima, todo en *Tres tristes tigres* es parodia: las formas del habla de Cuba, la incursión satírica en la vida nocturna, los estilos de la literatura cubana.

En ese laberinto simplificado por la corrupción, La Habana de mediados de los cincuentas, Cabrera Infante certifica el impulso de la vida nocturna, cultura marginal o vigilia de los sentidos. En la secuencia intitulada «Ella cantaba boleros», Cabrera localiza un emblema, Estrella, la deidad obesa y tiránica, atroz y magnífica, que trasciende el motivo de inspiración directa (Freddy, la cantante cubana que murió en el exilio dejando un solo disco memorable), e incluye a todas las cantantes que filtran emociones, legitiman desenfrenos, y conducen el ardor amoroso por las vías institucionales del disco, la rockola, la radio, los abandonos, el cabaret, la fiesta, el recuerdo feliz o tartajeante o dolorido. Estrella se instala en el centro de la tempestad de letras ardientes y melodías pegajosas, de clichés verbales y melódicos donde lo vivido con pasión se equilibra con la urgencia de verlo memorablemente expresado:

... Y sin música, quiero decir sin orquesta, sin acompañamiento comenzó a cantar una canción desconocida, nueva, que salía de su pecho, de sus dos enormes tetas, de su barriga de barril, de aquel cuerpo monstruoso, y apenas me dejó acordarme del cuento de la ballena que cantó en la ópera, porque ponía algo más que el falso, azucarado, sentimental, fingido sentimiento en la canción, nada de la bobería amelcochada, del sentimiento comercialmente fabricado del feeling, sino verdadero sentimiento y su voz salía suave, pastosa, líquida, con aceite ahora, una voz coloidal que fluía de todo su cuerpo como el plasma de su voz y de pronto me estremecí. Hacía tiempo que algo no me conmovía así y comencé a sonreírme en alta voz, porque acababa de reconocer la canción, a reírme, a soltar carcajadas porque era *Noche de ronda* y pensé, Agustín no has inventado nada, no has compuesto nada, esta mujer te está inventando tu canción ahora: ven mañana y recógela y cópiala y ponla a tu nombre de nuevo: *Noche de ronda* está naciendo esta noche.

Lo popular se transfigura y resulta lo clásico marginal. Cabrera Infante parte de la mitología cinematográfica, pero sus lectores ya son los condicionados por la hegemonía de la televisión, su flujo sin jerarquías, su fragmentación de imágenes, su sensualidad por inferencia, su traspaso del sentido de la realidad a los anuncios comerciales. Todavía en los sesenta la «auténticamente popular» es función de lo rural. Luego, y gracias a libros como *Tres tristes tigres*, lo auténtico se desprende también de las atmósferas «inmorales» de la vida nocturna, de la identificación de fantasía cinematográfica y sueños colectivos, y de la relación entre vida urbana e industria cultural. La novela tradicional no podía darse el lujo de dividir hasta lo irreconocible su campo de atención. La nueva literatura no tiene compromisos con criterios de lógica ortodoxa y gira en torno del habla nacional, de los arquetipos o de los gustos que antes sólo merecían atención incidental. Entrenado por Lewis Carroll y Vladimir Nabokov, Cabrera Infante se ocupa por igual de las «descargas» del feeling, de ese elogio a la vitalidad del castellano que es el idioma «cubano», de la picaresca y del orden literario. Y su mundo es eminentemente popular, en el sentido de ubicuo, nocturno, inescapable..

Manuel Puig: «Me oigo y me parece que estoy contando una película»

Con sabia deliberación, el argentino Manuel Puig (1932-1993) usa en sus primeras novelas *(La traición de Rita Hayworth,* de 1968, y *Boquitas pintadas,* de 1969) el vocabulario, los escenarios y las frases culminantes del kitsch, entonces calificación de lo antiartístico sin el renombre ni el falso y verdadero prestigio de hoy. En *La traición de Rita Hayworth,* Puig describe un fenómeno también popular y masivo: la implantación de la modernidad a través del cine, que entre los años treintas y cuarentas destruye el orden monótono y el cúmulo de las reiteraciones. Y al cine, eje de la vida, lo rodean conversaciones desconectadas, fragmentos del ejercicio verbal que nunca se concluye. Con malicia cinegética, Puig se aproxima al lenguaje de la simplicidad y la debilidad amorosas, a la malicia y la autoflagelación de la intimidad popular, a las frases hechas que una vez emitidas se convierten en revelaciones dramáticas para quien las usó, a la indudable cursilería que, de tan acumulada, dice otra cosa. Y, sobre todo, Puig se aproxima a la técnica de la cultura oral, a la conversación como epistolario, al flujo verbal que es el aprovechamiento del tiempo en ciudades semimuertas:

Y lo dibujé al que se casó con la tía de Alicita y me salió igual, que hice los dos ojos bien iguales grandes abiertos con pestañas y una nariz chica y la boca chica con los bigotes finitos y el pelo con el pico en la frente y sin raya como Robert Taylor, que el tío de Alicita si fuera artista haría que se casara con Luisa Rainer en *El gran Ziegfield* en vez de que ella se muera, cuando está enferma y se está por morir y lo llama por teléfono al ex-esposo Ziegfield no se ponga triste, y apenas es la mitad de la cinta pero ella no sale más porque se muere en seguida, y mucho mejor sería que en eso suena el timbre y Luisa Rainer va a abrir y es uno que se equivocó de puerta, que es el tío de Alicita, pero Luisa Rainer está tan cansada después de levantarse a hablar por teléfono que se desmaya ahí mismo en la puerta, y él entra y la levanta y llama en seguida al mandadero del hotel, porque están en un hotel de lujo, que es un chico sin padre, que el padrastro le pega...

De ahí al infinito. Ah, la Rita. Ah, la Greta. Ah, la Joan Crawford. Puig reitera la sabiduría vuelta lugar común en las décadas siguientes. La mayoría de las veces, nosotros, espectadores y lectores, ya no venimos de la selva o de la sabana, ya no nos impacta fatalmente el *shock of recognition* de la jungla de asfalto, ya no provenimos dogmáticamente de las tradiciones recién quebrantadas por el capitalismo. Venimos de películas pésimas y gloriosas, de contrastar la oscuridad de nuestras vidas con la severa brillantez de estos galerones oscuros, de hacer del mundo que vivimos un falso espejo de estas imágenes, de querer expropiar ídolos y lecciones de Hollywood, esa patria feliz de los solitarios reales e ideales. Del limbo de los personajes de Puig se desprende una moraleja: en Salta o en Boyacá, en Medellín o en Santo Domingo, en Irapuato o en San Salvador, un detalle en principio técnico (la desmesura del close-up al exaltar el rostro femenino) adelanta la mentalidad distinta. Greta Garbo, Ginger Rogers, Bette Davis, Katharine Hepburn, Barbara Stanwyck, Marlene Dietrich, Dolores del Río, son facciones privilegiadas y actitudes y vestimentas y estilos de andar o de fumar que convierten la singularidad en utopía de masas; son las devastaciones oníricas que ayudan a millones de personas a transitar hacia su modernización inevitable. *Lo popular:* la compenetración devocional con la pantalla.

En *Boquitas pintadas*, Puig desnuda el falso candor de la novela rosa (que ha merecido un excelente ensayo de Cabrera Infante, «Corín Tellado, pornógrafa inocente») y despliega una alegrísima parodia de los lenguajes adjudicados al pueblo, mientras examina los sentimientos (ya imposibles de distinguir de los sentimentalismos), esa materia prima de autohipnosis, de aspiraciones, de idilios que usan como ataúdes cartas atadas con listón azul. Hazañas y tragedias de lo cotidiano: lavar los platos, cambiarse la ropa, comprar pan, sentarse frente al espejo, aplicarse el lápiz labial y el cisne con polvo, la mano bajo la blusa de la novia, la espera en la reja, y la confusión entre ambición y hambre:

> Si supiera que la pobre Pelusa nunca comió milanesas y la noche que llovió tanto y no me podía volver a casa y la Felisa hizo milanesas, después cuando el señor me llevó en el coche después de cenar, me acosté con la Pelusa y le conté lo de las milanesas. La Pelusa me destapó la barriga y me pasó la mano fría por la barriga para ver si se tocaban las milanesas.

Al estilo «romántico» tradicional de América Latina (suspiros y vueltas alrededor de la almohada y acoso sexual y llegada del Príncipe Azul que es decente y lindo como un artista de cine), Puig lo reelabora con lenguaje ni por encima ni a un lado de sus personajes, que no los desautoriza ni patrocina, y que, en *Boquitas pintadas*, hace de la desolación la atmósfera propicia de la ternura. *Lo popular*, paisaje inagotable de la emoción literaria.

36

¿A qué «suena» una sociedad? ¿Cómo se oye? ¿Es dodecafonía, es un vals, es un rock ácido, es un rap o es el ritmo sinuoso, inacabable, cascabelero de los soneros y rumberos? En *La guaracha del Macho Camacho* (1976), de Luis Rafael Sánchez, en un nivel la historia de una canción de éxito, «lo real» nunca sigue la misma línea lógica, es lo simultáneo y lo contradictorio, es el encuentro de un discurso político y una guaracha en el tráfico demencial. Sánchez combina la retórica neoclásica y la salsa, el exhorto a los patricios beneméritos y las ocurrencias chéveres, de acuerdo al estribillo de la canción: «La vida es una cosa fenomenal / tanto p'al de adelante como p'al de atrás.» El ritmo es la esencia del trato, de las complicaciones de la trama, de ese tremendo rumbón avasallante que en México o en San Juan de Puerto Rico llamamos Vida Social. Lo cotidiano es un meneíto demasiado serio:

Cuestión de unos pagarés y el linolium y el jueguito de comedor que lo quiero de cromium: pincela lujos menores como una mesita velador cubierta con apetito bordado, con repollito tejido. No es que vaya a pasarse la vida con El Viejo, El Viejo le produce náuseas. Pero El Viejo le remite el chequecito verde de las esperanzas. Seis meses: tanto tiempo sujeta no le piace. La ventaja de estar sujeta es la obligación de amanecer todos los días lo mismo: el lavao, el planchao, el cocinao. Por eso es que yo admiro a Iris Chacón: habla de la artista Iris Chacón y le da asma. Porque Iris Chacón no está sujeta más que al impulso bailotero de su cuerpo. Por la noche sueña que la artista Iris Chacón, envuelta en emanaciones guarachiles, viene a buscarla: quedito, callandito, secretera, la artista Iris Chacón le dice. Nunca sabe lo que la artista Iris Chacón quiere decirle porque despierta, ay deja eso, terminados los pagarés y si te vi ya no me acuerdo. Las cinco y: y qué más da, los pies conjuntan una bullanga como si el eructo fuera la luz verde para el brincoteo, el eructo o la acojonante guaracha del Macho Camacho *La vida es una cosa fenomenal,* guaracha que le prende el fogón a los que no están en nada. Los pechos golpean las costuras del brassier, ricamente nervudos aunque amasaditos en la base. Las caderas se dejan caer en remolinos y la cintura las recoge en remolinos. La cabeza dibuja uno, dos, tres círculos que se corresponden con los tres chorros de ventosidad regocijado que expelen las trompetas; una alegría ceremonial, culto oficiado en cada rincón del cuerpo, cuerpo elevado esta tarde a templo del sudor con nalgas briosas como ofrendas ovaladas y tembluzcas.

«Que no, que cuídate»

La literatura realista no convence demasiado a sus lectores. ¿Cómo hallar «lo real» en el miserabilismo: seres que lloran nomás de recordarse pobres, agonías cuya dureza compensa de la desdicha de no morir en alcobas de lujo, discursos frenéticos contra esta trampa de la que no se puede salir, esta callampa, esta favela, esta villamiseria, este pueblo joven, esta colonia popular? ¿Quién ubica «lo real» en estos caseríos sumergidos en el lodo y las enfermedades venéreas y el analfabetismo y los vuelcos incestuosos y la escasísima conciencia de ser? Lo popular exige otros tratamientos.

El crecimiento del nivel educativo facilita y exige un acercamiento ya no condescendiente con lo popular. No es cuestión de aprobar o reprobar, sino de entender y describir sin paternalismos. En *Las glorias del Gran Púas* (1977), el sujeto de la historia de Garibay es un ídolo de box, que convierte su vida cotidiana en una batalla, una orgía, una pelea a favor de los molinos de viento «los rounds que aguanten». Perseguido por la fama, asediado por los medios masivos.

Rubén Olivares El Púas teatraliza el rito de tránsito de la pobreza a la celebridad, y de allí al jugueteo con la leyenda que no se toma en serio «porque una estatua no puede emborracharse y andar con putas». El Púas es un escándalo viviente y es el desquite por los millones de seres que no han podido ser escándalos vivientes. *El Púas ya la hizo* ¿para qué someterse a disciplina alguna, por qué no hacer del exceso el ámbito de normalidad, por qué no sumergirse en el pulque y la mariguana, por qué no disiparse antes de que lo metan en una caja «y de allí al pinche panteón» por qué no rodearse de una corte de la ebriedad? Autorizado por el éxito, El Púas sólo toma en serio el *desmadre* –la «incapacidad de civilización»–, se enamora de la obscenidad, matriz regenerativa, y convierte su comportamiento de macho, borracho, drogadicto, en un perpetuo fluir del habla, que todo lo desordena y a nada le concede importancia, salvo a la vigilancia revanchista de su desmadre. Si Cantinflas hablaba para no decir, El Púas se expresa para no jerarquizar, para que en la circularidad de su habla los contrarios se igualen:

–¿Cómo te sientes?
–Cada vez mejor. Ya la sed me la peló, ya viste en la mañana.
–¿No hay miedo?
–No, ya orita no, ya que estás al filo de los chingadazos se te quita el miedo. En los entrenamientos a ratos sí se te arruga, por la bajada de peso ¿no? que te jode, y la espera, piensas ¡Chingao, faltan semanas! y que no comes, no puedes beber, y siempre hay alguien que te está chinga y chinga: «Que no, que cuídate, que este pinche cuate sí tiene con qué», sientes que no va a acabar nunca el pinche entrenamiento. Pero ya después del pesaje te calmas. Tú me viste en la mañana cómo estaba yo. A lo macho que un minuto más y madreo al pinche comisionado.

«Lo malo de las mujeres es que surgen a cualquier hora»

En *Hasta no verte Jesús mío* (1969), Elena Poniatowska registra la voz –el habla como entonación épica, biografía y visión del mundo– de una mujer, Jesusa Palancares, que vivió la revolución, sufrió el desencanto progresivo y, al final, quedó como al principio: sólo dueña de su experiencia y de su rencor. Lo que en Oscar Lewis *(Los hijos de Sánchez)*, por el deseo de ajustar el testimonio antropológico a la «poesía de la vida», tiende a disolverse en el pintoresquismo y el esquema determinista de «la cultura de la pobreza», en la reconstrucción de Poniatowska es el sufrimiento no reducible a anécdotas. Mujer que atraviesa la joda de generaciones, revolucionaria, sirvienta, obrera, Jesusa Palancares, desde su soledad, acude a un lenguaje agresivo, poético a pesar nuestro, que la distancia irónicamente de la amargura.

Pero mi papá dijo que a la escuela de gobierno no iba aunque enseñaran mejor que las monjas, porque él no era protestante. ¿Qué tenía que ver el protestantismo con que me enseñaran a leer? Esa lucha la oí yo desde chica; es un pleito que se traen, que los protestantes, que los católicos, yo nomás de orejona, oyendo, císcalo, císcalo diablo panzón, y nada de que lo ha ciscado porque ese pleito tiene mucho y va para largo. Hasta la fecha no sé lo que serán esos argüendes que nomás atarantan, pero por culpa del maldito protestantismo no me mandaron a la escuela sino con las monjas que no me enseñaron nunca a escribir ni a leer. Nomás a rezar...

Ante la desgracia incesante, los malos tratos, los compañeros efímeros, los trabajos extenuantes, los despidos, el nomadismo forzado, Jesusa Palancares encuentra dos recursos: el habla irónica y amarga que en algo separa de los desastres, y el sentir que el recuerdo preciso la vuelve cronista de la historia de otra persona. Ella también supone que lo popular es intercambiable:

> ... Y desde entonces todo fueron fábricas y fábricas y
> talleres y changarros y piqueras y pulquerías y cantinas y
> salones de baile y más fábricas y talleres y lavaderos y seño-
> ras fregonas y tortillas duras y dale que dale con la bebede-
> ra del pulque, tequila y hojas en la madrugada para las cru-
> das. Y amigas y amigos que servían para nada, y perros que
> me dejaban sola por andar siguiendo a sus perras. Y hom-
> bres peores que perros del mal y policías ladrones y pelados
> abusivos. Y yo siempre sola, y el muchacho que recogí de
> chiquito y que se fue y me dejó más sola y me saludas a
> nunca vuelvas...

Todas las desdichas menos una: la pérdida de realidad.

Los ídolos: «Es igualito a mí, sólo que es tan bueno
que no se me parece en nada»

Los ídolos del cine. Los ídolos del disco y el teatro de va-
riedades. Un tiempo se les juzgó los representantes por excelencia de la ignorancia y el mal gusto congénitos de la plebe.
Son en conjunto una teoría de la cultura popular, la serie de
retratos ideales de las colectividades. ¿Quién desplaza hoy
a Agustín Lara, Lucha Reyes, Pedro Infante, José Alfredo
Jiménez y el Trío Los Panchos en México, a Carlos Gardel
en Argentina, a Julio Jaramillo en Ecuador, a los notables de
la cumbia, el vallenato y el quebranto en Colombia, a Rafael
Hernández, Pedro Flores y Daniel Santos en Puerto Rico, a
Celia Cruz, Beny Moré, La Lupe y Tito Puente y los grandes
soneros y salseros en el orbe de la música tropical? Han sido
y son respuestas únicas al tema/problema de la expresividad
popular. Lara, por ejemplo, reúne la vencida lujuria de las amas

41

de casa, el afán de espiritualidad y la obsesión de la carne, la ambición de finura verbal y la ausencia de temor ante la cursilería. Su apropiación de un idioma culto, el de la poesía modernista, es un gran acto de traspaso cultural. Si el danzón reconstruye la elegancia en los márgenes de la semiesclavitud, el bolero de una larga etapa redistribuye la «sensibilidad espiritual» atribuida a aristócratas y personas cultas, y el tango es el experimento narrativo e idiomático que asume un legado de encumbramiento tremendista y lo torna historia real y canon lingüístico de las clases populares. (Tratándose de esta música, todas las clases son populares.)

La voz de los cantantes es una de las grandes autobiografías colectivas a la disposición. Allí se registran con puntualidad y exactitud los trámites del cortejo amoroso, las comprobaciones de la derrota, la angustia de haber sido y el dolor de ya no ser, el humor a raudales que no requiere del ingenio, el jolgorio, la gravedad de la poesía inesperada. El proceso de identificación es acústico, en el más riguroso sentido del término. Los tangos, los boleros o las canciones rancheras se asumen como parte intransferible de la vida del escucha, y el estilo singular del cantante es también una circunstancia personalísima de su público. Para resistir a la Historia y deslizarse entre los resquicios de la economía, también hacen falta un espacio verbal y melódico y una certeza: la música es nuestro cómplice porque es parte radical de nuestra intimidad. Cualquiera que sea el modelo de comportamiento que se elija entre las mayorías, lleva adjuntos el ritmo, las melodías y la filosofía de la vida de las canciones.

José Alfredo Jiménez es la poesía según la sienten y versifican quienes no han leído poesía pero disfrutan de metáforas y cadencia musical; es el desafío en la derrota y es la autodestrucción asumida como la única hazaña al alcance de los marginados. Daniel Santos es un hombre como todos, de una generación y un estilo, adúltero e irresponsable, que la calidad de la voz transfigura y convierte en conducto de presentimientos eróticos, sensaciones de camaradería y reflexiones pre y post-coitum.

La durabilidad de estos ídolos los convierte a tal grado en señas de identidad latinoamericana que una literatura creciente los examina y con frecuencia los sacraliza. La visión-de-los-vencidos de José Alfredo es recreada por el colombiano David Sánchez Juliao en *Pero sigo siendo el rey;* a Celia Cruz la idolatra Umberto Valverde en *Reina Rumba;* al bolerista puertorriqueño lo abordan Luis Rafael Sánchez en los capítulos ya publicados de *Un hombre llamado Daniel Santos* y el venezolano Héctor Mújica en *Las confesiones del Anacobero Daniel Santos;* al rumbero tradicional lo exalta Edgardo Rodríguez Juliá en *El entierro de Papá Montero.* En cientos de relatos la cultura pop es el ingrediente, no exactamente el pueblo ni la industria que lo condiciona, sino el resultado anómalo de la ambición comercial y la creación artística.

El fervor por la educación sentimental y sexual atraviesa por los índices de ventas –que exhiben la solidez de la cumbia, el merengue, el danzón, la salsa, el tango, el bolero, la canción ranchera, el vallenato– y prueba que, más allá de las promociones de la industria, permanece el contrato social que le concede a una parte (el Ídolo) el don de proveer de imágenes y sonidos perdurables a los deseos y obsesiones, mientras la otra parte –el Público/la Gente– se compromete a reproducir y desvirtuar imaginativamente los modelos a su disposición. La música popular, en sus distintos niveles, es la autenticidad infalsificable de millones de personas.

Entre autógrafos: el nuevo pasado cultural

En la época del videocassette, los satélites, el *disco*, la *video music*, los *walkman*, los *supershows*, las antenas parabólicas, la realidad virtual, el ciberespacio, el Internet, el E-mail... La tecnología es la visión del mundo que reconcilia formas literarias y gustos populares. La operación que exalta cumbres de lo popular es sin duda una moda, y como tal se extinguirá entre oportunismos, imitaciones, declamaciones populistas, reducción de letras de boleros a tratados filosóficos, poesía prefabricada y nuevas concepciones mecánicas del pueblo. O tremendismos sexuales y policíacos. Pero hay algo irreversible: desaparecen numerosas contenciones sociales y aminora considerablemente, en lo que a sectores ilustrados se refiere, el duelo entre alta cultura y cultura popular, disyuntiva inconvincente porque el siglo XX ha ratificado la fusión constante de los dos «adversarios ancestrales». Sin duda, el enfrentamiento persiste aunque también todos influimos sobre todos, como tal vez habría dicho Alfonso Reyes, al comentar los ámbitos regidos por la telenovela y el desempleo, las cumbias dedicadas a Macondo y la conversión de Picasso y Mozart en obras y nombres ultrapopulares.

«El sexo más seguro ocurre en los libros»

Lo popular es también, y básicamente, el trato por lo común desenfadado con la sexualidad y con las sensibilidades hasta ese momento negadas o aludidas eufemísticamente o representadas de manera «pudorosa». De pronto, afluyen a la literatura ideologías y comportamientos proscritos y vocabulario considerado ilícito y mínimas y máximas heterodoxias. Todo es cultura pop, o como se le quiera llamar a lo que convive y se funde en las urbes: la internacionalización marcada por el acatamiento de la tecnología; el desvanecimiento del aura misteriosa de lo sexual; la descripción normalizada de apetencias y cópulas; la corrupción gubernamental y policíaca como el homenaje de la política al *film noir;* los cerros de condones en los basureros; los cómics y los CDs; la toma de conciencia que da paso a la frustración (y viceversa); el intento de escritura en estado de limpidez.

En la literatura la misma impetuosidad construye simultáneamente el pasado y el presente. Al pasado se le aborda en formas muy distintas, con rigor histórico, con sensiblería que intenta ser la captación exacta del temperamento antiguo, con indagaciones psicológicas que trasladan al ayer las sensaciones del ahora.

El tiempo presente y el tiempo pasado están quizás contenidos en el tiempo presente. El examen del pasado revela conexiones distintas a las apreciadas tradicionalmente entre realidad y utopía, entre literatura y vida comunitaria. Y al presente también se lo contempla de modo nostálgico, todo va tan rápido que es imposible fijar las emociones, *detente momento, antes de que llegues ya has transcurrido*, y los sentimientos inéditos gustan precisamente porque no son novedosos. Lo posmoderno es aquí la evocación melódica del ya extinguido culto al Progreso. Se elige el mundo ideal, el Chile o la Costa Rica o el Perú que se hubiese querido vivir, y se los amuebla con pasiones, diálogos y reacciones pertinentes en las décadas en que la industria cultural concibió productos que rápidamente legitimaron y autentificaron sus destinatarios.

A su modo, éste es otro «realismo mágico», la vuelta al pasado como «lo real maravilloso». Al cabo de batallas y persuasiones, cunde una certeza: ¿Cómo no supimos verlo? Si es que todo lo que hemos vivido es tan sólo *cultura popular*. Al extremo del elogio se llega en homenaje al primer rechazo. No se le concedió nada a lo producido o consumido por el pueblo y hoy, crecientemente, muchos latinoamericanos creen ser, al fin y al cabo, museos ambulantes o sedentarios de la cultura popular. ¿Y qué pueden la Civilización y la Barbarie contra la crisis?

«No bien me di la vuelta, ya había escrito otra novela»

¿Cuáles son en los años recientes algunos de los rasgos sobresalientes, las innovaciones, las aportaciones, los géneros

nuevos o novedosos afincados en lo popular? Enumero muy
sintéticamente:

— *El thriller*, subgénero distinto a la novela policial clásica, porque aquí en rigor no importan las dotes detectivescas.
Al saberse de antemano la clase social que dirige la zona de-
lictiva y la red de complicidades e impunidades que llamamos «sistema de justicia», el *thriller* resulta la ansiedad por
crear la antiépica de la corrupción, y es el nuevo depositario
del realismo social. El *thriller* latinoamericano multiplica de-
tectives que le deben a Sam Spade y a Philip Marlowe el tono duro, la abundancia de whisky, los encuentros sexuales
como pista de aterrizaje de la genitalia (ni modo, el estilo se
contagia), y la revelación que nunca lo es tanto: detrás del
gángster se halla el alcalde, y detrás del alcalde el gobernador, y detrás del gobernador...

— *La experiencia femenina* como perspectiva novelística.
La tradición extraordinaria de escritoras (Silvina Ocampo, María Luisa Bombal, Teresa de la Parra, Elena Garro, Rosario
Castellanos, Clarise Lispector), experimenta un salto cuanti-
tativo. Casi de pronto, emerge una generación influida lo
quiera o no por el feminismo, que le pone sitio a la sensibilidad femenina tradicional, describe por ejemplo púdicamen-
te la cocina y hazañosamente la recámara (una excepción:
Como agua para chocolate, de Laura Esquivel, donde todo, la
fornicación incluida, es receta de cocina en una realidad
autófaga), despliega *el otro* punto de vista, incendia los símbolos por dentro, se sirve por igual de García Márquez y de
Anaïs Nin, va de lo experimental a lo tradicional, y crea con
rapidez un círculo de lectores en perpetua expansión. Sobre
la marcha, se amplía o se dinamita la noción de «experiencia
femenina» para entrar de lleno a la profesionalización unisex,
por así decirlo.

— *El regreso de la novela histórica.* En el siglo XIX la novela histórica fue instrumento adecuado de la forja de la moral
nacional y la revelación de la humanidad, que nunca lo era tan-

to, de héroes y caudillos. En la primera mitad del siglo XX, la novela histórica se presentó como el punto de vista de los que sufrían los efectos de la revolución o de la ausencia de la revolución (una excepción magnífica: *La sombra del caudillo,* de Martín Luis Guzmán, la novela histórica como *thriller* que anticipa a Dashiell Hammett, a Sciascia y al Kurosawa de *Yojimbo).* Luego, la novela histórica conoce otra etapa donde los dictadores son, simultáneamente, la agonía y el nacimiento de la conciencia nacional, la usurpación del todo por la mano férrea. *Yo el Supremo* de Roa Bastos y *El otoño del patriarca* de García Márquez son ejemplos extraordinarios. Y en años recientes la novela histórica es un género fundado en la nostalgia de lo que se desconoce, se intuye o se ha vivido fragmentariamente. Hay libros de primer orden: *La novela de Perón* y *Santa Evita,* de Tomás Eloy Martínez, *Noticias del imperio,* de Fernando del Paso, *Tinísima,* de Elena Poniatowska, para citar unos cuantos, entre la marejada de homenajes dispensables a los conquistadores, cuantiosa producción narrativa que se lee como teatro español de fines del siglo XIX. La historia, una disciplina siempre popular, vuelve como género pop.

– *La reelaboración del kitsch.* Si el kitsch es un idioma latinoamericano, ¿por qué no darle la vuelta, traspasarlo irónicamente y hacer de él un espejo de las falsas virtudes y las genuinas debilidades de la sociedad? Lo que, sin plan alguno, presenta Puig en *Boquitas pintadas,* muchos lo acometen para revelarnos lo que hay detrás del lenguaje tribunicio, de la respetabilidad como decoración de exteriores, del gusto de no poseer gusto certificado. Hasta el momento los resultados son más que desiguales, y el riesgo afirma la plena impunidad del kitsch, algo ciertamente innecesario.

– *La literatura de la experiencia homosexual.* Severo Sarduy *(De dónde son los cantantes, Cobra)* y Manuel Puig *(El beso de la mujer araña)* escriben libros fundamentales, que despliegan la experiencia proscrita por la moral tradicional, ansiosa de invisibilizar lo que no comprende (casi todo). La tolerancia que no se había percibido se concreta en una producción novelística y el público lector la hace rápidamente «rentable». El travesti es la otredad con lentejuela y plumas, no sólo el ser que asciende de lo zarzuelero a lo operístico gracias a la tragedia *(El lugar sin límites* de José Donoso, adaptada magníficamente por Puig, sin crédito, para el cine), sino, a su estridente manera, una «masa crítica» que da cuenta de lo artificial de las divisiones entre lo escénicamente masculino y lo teatralmente femenino. Y, al lado de los travestis, muchos otros personajes se presentan, el personaje autobiográfico de Reynaldo Arenas en *Antes que anochezca*, por ejemplo. Gracias a *El vampiro de la colonia Roma*, de Luis Zapata, conocemos la otra cara de *Santa*, de Federico Gamboa, el prostituto como Lazarillo de Tormes en el mundo precondónico. Hay más cosas bajo el cielo y la tierra que las que sueña el Registro Civil. O como diría algún personaje popular: «Aquí nomás, trasquilando la moral.»

– *La novela carnavalesca.* La realidad latinoamericana es susceptible de ser vista como una tremenda parodia, la más dislocada que se conciba. El sustrato de la tragedia, en un nivel, es la comedia por lo común involuntaria. Y esa farsa, ese intercambio perpetuo de máscaras, es cultivada con enorme destreza por escritores en la línea de Borges y Bioy Casares *(Crónicas de Bustos Domecq).* Entre ellos debe destacarse a Jorge Ibargüengoitia *(Los relámpagos de agosto, Maten al león, La ley de Herodes)* y Sergio Pitol *(El desfile del amor, Domar a la divina garza, La vida conyugal).*

El fin de siglo, una manera como otras de decir «el día de hoy». De golpe, todo es «cultura híbrida», para usar la expresión de Néstor García Canclini, o «fusión», para acudir al concepto discográfico, o sincretismo, si se quiere alojar a la Virgen de Guadalupe en hologramas. La modernidad interpreta la tradición, el Tercer Mundo es el infierno de los posmodernos, y los neoliberales le adjudican a la desigualdad, el hecho cultural más significativo de América Latina, el papel de la civilización («Son pobres porque tal es su impulso atávico»). Y lo cierto es lo afirmado algún día por Juan Rulfo: a los escritores les toca aportar el realismo o la irrealidad; lo mágico es la existencia de lectores.

SOUTH OF THE BORDER, DOWN MEXICO'S WAY

EL CINE LATINOAMERICANO Y HOLLYWOOD

En sus más de cien años de vida, el cine latinoamericano le ha sido esencial a millones de personas que a sus imágenes, relatos y sonidos deben en buena medida sus acervos de lo real y de lo fantástico. No obstante el predominio del cine norteamericano, las variantes nacionales en América Latina han conseguido a momentos una credibilidad inmensa. Y además, en el período de 1930 a 1955, aproximadamente, este cine, concentrado en las industrias de Argentina, Brasil y México, es contrapeso formidable de Hollywood, y lo sigue siendo en mínima medida, pese a su derrumbe artístico y comercial (no son demasiadas las excepciones) y la hegemonía del cine norteamericano.

¿Cómo se da este proceso de relativa autonomía, y cómo se llega a la situación actual en donde directores, fotógrafos, actores latinoamericanos, aspiran con denuedo a triunfar en Estados Unidos, convencidos del carácter eternamente periférico de sus cinematografías? A continuación, algunos apuntes.

La formación inevitable: California y la Quimera del Oro

En América Latina, desde el cine mudo, es determinante la presencia (la influencia) de Hollywood, la industria fílmica por antonomasia, el ámbito de credibilidad que forma y retiene públicos, el ejercicio impecable de la técnica, la matriz de las figuras relevantes, el surtidero de géneros y estilos. Entre 1920 y 1940 acuden a Los Ángeles en pos de oportunidades y aprendizajes y deslumbrados por la Gran Metamorfosis muchos de los futuros hacedores del cine latinoamericano (directores, camarógrafos, productores, estrellas), que trabajan en lo que pueden, aprenden el ritmo (la dosificación de estrategias narrativas y estados de ánimo) que seduce a los espectadores, y memorizan las tácticas publicitarias y la construcción del glamour... Cierto, en Latinoamérica no sólo se ve cine norteamericano, y es innegable la persuasión artística, comercial y propagandística de otras cinematografías (la italiana del cine mudo y sus divas, del neorrealismo y de Fellini, Visconti y Pasolini; la alemana del cine mudo y de los años setentas; la soviética de los años veintes y treintas; la francesa del cine mudo y la Nouvelle Vague), pero la condición de potencia imperial, la plétora de grandes talentos y la suprema destreza financiera, le permiten al cine norteamericano imponer su noción de los géneros y su estilo de comicidad, interiorizar en los públicos (y en las industrias fílmicas del resto del mundo) un sentido del montaje y del ritmo, dotar de dimensiones mitológicas a su Star System y, algo básico, familiarizar a los espectadores con las costumbres, las fantasías y la épica (tan discutible como sea) de Estados Unidos. En el cine latinoamericano, dos preguntas se repiten: ¿Cómo oponerse a Hollywood? ¿Cómo separarse de Hollywood?

Lo que ocurre es previsible: a sus espectadores latinoamericanos, el cine hecho en California les permite vislumbrar otras culturas y formas de vida, y los prepara para lugares y situaciones «exóticos», que la mera repetición torna legendarios. Muy especialmente, el cine rompe con las informaciones fragmentarias y con el registro literario y oral de las narraciones. A través de las lecciones de la pantalla, se aprende a confiar en el nuevo aporte: las imágenes en movimiento. El cine –el norteamericano, en el 80 por ciento de los casos– introduce en diversos niveles la conciencia planetaria y sueños y aprendizajes insospechados. Cada fin de semana, o incluso con más frecuencia, los espectadores se internacionalizan y nacionalizan a fondo. De ambos extremos se aprovecha, casi a fuerzas, el proceso modernizador que llamamos *americanización*. El que frecuenta los productos de Hollywood se americaniza por contagio y paulatinamente, y gracias a eso la hegemonía norteamericana consigue en casi todas partes el reconocimiento contrariado de un solo nacionalismo, y por eso acaba siendo tan teatral la resistencia a las «gringadas». El matiz es significativo: el público no sólo ve «gringadas» sino, en un porcentaje notable de casos, películas de primer orden, lo que desemboca en la modernización a ráfagas, muy epidérmica y colmada de reacciones útiles para comunidades distintas a las del espectador latinoamericano, pero también auspiciadora del ánimo contemporáneo y ya conocedora del arte fílmico.

En Hollywood la regla dominante es el golpe de suerte (el presentimiento del carisma) de quienes serán primeras figuras. Por razones diversas: belleza irrefutable, apostura, «enamoramiento de la cámara», seres no obligadamente excepcionales devienen «astros de la pantalla». Y en el plano simbólico su transfiguración los vuelve, por el tiempo que sea, «estrellas» del cielo que se materializa todas las noches. Cantantes de voces mediocres, actores improvisados, vendedoras de tiendas sin talento interpretativo, de golpe resultan dioses y, sobre todo, diosas de la pantalla, habitantes literales de un Olimpo donde las señas «ultraterrenas» son la gracia física o el vigor del temperamento o el desenfado o el comportamiento ante las cámaras (sensual o austero). No describo herejía alguna, anoto una certidumbre: si no genera santos y héroes, el cine sí produce, y a raudales, símbolos con los cuales identificarse, imágenes que auspician los reflejos adoratrices, sombras de celuloide que trascienden los cánones del decoro, la belleza y la «edificación del alma».

En 1915 o 1922, las *divas* rectifican las visiones consagradas de lo femenino, así sea sólo por ocupar con sus rostros el espacio entero de la pantalla. En los veintes, las «estrellas» de Hollywood son los dechados cuya condición inaccesible reajusta a personas y colectividades. «He visto la película ocho veces nomás para atisbar su silueta. / Ya conseguí una peinadora que hace unos peinados idénticos a los de Bette Davis. / No me canso de mirar sus fotos.» Con tal de fortalecerse, Hollywood prodiga paradigmas, modificaciones faciales, renovaciones incesantes del guardarropa, escenarios donde la belleza física es obra de arte al pie de la letra. ¡Qué mirada! ¡Qué porte! Allí están muy destacadamente Gloria Swanson, Lilian Gish, Mary Pickford, Clara Bow, Dolores del Río, Greta Garbo, Marlene Dietrich, Bette Davis, Vivian Leigh, Katharine Hepburn, Barbara Stanwyck, Joan Crawford. Su glamour, su conversión en objetos esplendentes, su técnica para domeñar las cámaras de cine, impulsan la metamorfosis internacional del *look* femenino, el conocimiento casi científico del semblante (el maquillaje como el arte de la re-presentación) y las ramificaciones infinitas de trajes, sombreros, abrigos, collares, cinturones, prendedores, aretes, todo a escala, todo imitado o adaptado con reverencia.

En el caso de los hombres, en la primera mitad del siglo XX las innovaciones o las readaptaciones de conducta inspiradas por el cine se concentran en las actitudes. Se adaptan o se inventan los estilos de virilidad, se estudian con arrobo la elegancia y la ironía de los actores más refinados, se copian gestos, se espían las técnicas de seducción. Sin saberlo o sin admitirlo, los jóvenes que ocupan el sillerío se educan para galanes al reproducir las técnicas de sus ídolos, y son a la vez personas y personajes, el que observa con deseo a la mujer conquistable, y el que se enfrenta eróticamente a la cámara. ¿Quién de los seres «en edad de merecer» (concepto elástico) no ansía el «pacto fáustico» que lo convierta en Rodolfo Valentino, Douglas Fairbanks, Clark Gable, Spencer Tracy, Errol Flynn, Tyrone Power, John Wayne, Cary Grant? En épocas no bélicas, el cine relega los ideales necesariamente imprácticos del heroísmo militar y los reemplaza por el poder de seducción. («Les guiña el ojo y ellas se rinden.») Ser héroe es imposible y demasiado riesgoso; ser estrella de Hollywood es imposible y muy recompensante.

La democratización del comportamiento al amparo de las imágenes es una experiencia notable. El teatro y la ópera creaban leyendas inaccesibles, y daban a los *happy few* ocasión de recuerdos inextinguibles. Pero si nada más unos cuantos latinoamericanos contemplan —¡y en una sola ocasión!— a la *prima ballerina* Ana Pavlova y el tenor Enrico Caruso, todos pueden ver, y reiteradamente, a Douglas Fairbanks y Mary Pickford en *La fierecilla domada*, o a Clark Gable y Vivian Leigh en *Lo que el viento se llevó*. Las estrellas colman las ilusiones y las referencias íntimas, son el centro de un pasmo colectivo infalsificable, liquidan la «digna inmovilidad» de la conducta femenina, le añaden cuando se puede sorna a las presunciones machistas, afirman el rostro femenino como objeto de reelaboración artística, varían y enriquecen la oferta de lenguajes corporales, y aportan un contingente novedoso: libertad de movimientos, cinismo, humor y destreza física.

En la primera mitad del siglo XX, las estrellas confirman la potencia de lo ajeno a la política. ¿Quién quiere ser santa o heroína pudiendo añadirle a sus facciones el impulso de Katharine Hepburn o Barbara Stanwyck? ¿Quién desea conductas ortodoxas pudiendo estrenar actitudes? El cine es un ordenamiento paralelo a la política, y su inmediatez distribuye modelos de vida o de sensualidad que se acatan en forma casi unánime, se reconozca esto o no. Todo se venera y se imita. Tonos del habla, vestimentas, instrucciones para el manejo del rostro y del cuerpo, gestualidad del cinismo y de la hipocresía, convicción íntima de la apostura o de la insignificancia facial, escuela del lenguaje de las familias. ¿Quién que es no va al cine como alumno planetario?

«Y pues contáis con todo...»

Para que las fórmulas del cine norteamericano puedan asimilarse y «nacionalizarse», el requisito previo es el avasallamiento. En América Latina el público se deslumbra con los Monstruos Sagrados, las escenografías, la técnica de Hollywood. El close-up es el inicio mistificado de la reivindicación femenina, y las Diosas de la Pantalla son por así decirlo *apariciones* en un sentido muy próximo al del misticismo. Las actrices latinoamericanas de los años treintas ubican sin dificultades a sus *role-models* y, verbigracia, Andrea Palma, que en Hollywood hacía sombreros, en México se propone emular a Marlene Dietrich, y rediseña su rostro para volverlo misterioso y distante. María Félix, digamos, es ya el imperio del rostro, la belleza como demanda de acatamiento. Y Mirta Legrand, Laura Hidalgo, Amelia Bence o cualquiera de las estrellas del cine argentino son versiones «democráticas» del refinamiento de la oligarquía.

Si el lenguaje del cine se aprende en Norteamérica, los cineastas, lo acepten o no, asimilan de manera simultánea la técnica y la cultura mitológica. Y se someten al juego de traducciones: se reproducen en lo posible los estereotipos y los arquetipos de Norteamérica, se implanta con celo devocional el final feliz (que incluye tragedias), se confía en los géneros fílmicos como si fueran árboles genealógicos de la humanidad.

Y el cine contribuye férreamente a la integración de comunidades aisladas o disminuidas por el tradicionalismo. En América Latina, Hollywood propone, desde el cine mudo y con método dictatorial, qué es y qué puede ser el «entreteni-

56

miento». Las variantes locales son alternativas las más de las veces carentes de prestigio: ¿cómo trasladar el humor y el sentimiento de un país a otro? Los ídolos del cine son escuelas de la utopía, y el espíritu moderno se va instalando mientras el cine revisa creencias y costumbres. La intención es formalmente respetuosa pero los resultados son devastadores, porque lo ancestral amplificado en la pantalla se vuelve lo pintoresco. Por buenas y malas razones, Hollywood se hace cargo de las definiciones de «lo entretenido», lo que es en sí mismo un salto cultural, al trastocarse los métodos para gozar del espectáculo y conducir las emociones personales. Los latinoamericanos, por críticos que sean, memorizan demasiado del cine estadounidense: el sentido del ritmo, el uso de escenarios imponentes, los gags (chistes visuales), la combinación justa de personajes principales y secundarios, la suma de frases desgarradas o hilarantes, el alborozo ante la repetición de las tramas, las dosis del chantaje sentimental, las desembocaduras del Final Feliz que en español también se llamará *Happy end.*

«No es que los imitemos, es que son los únicos espejos a nuestra disposición»

Los productos de Hollywood –internacionalización y espejismos a bajo precio– se vuelven imperativos del comportamiento. «Así me gustaría vestir, así me gustaría moverme, en esos lugares me gustaría vivir, cómo quisiera hablar así.» Sin embargo, durante una larga etapa, no obstante la admiración y el aturdimiento ante el paisaje de sombras que envía Norteamérica, los latinoamericanos ni le confían ni le pueden confiar a Hollywood su representación y su ideario sentimental. Para eso cuentan con el cine mexicano, con el argentino y el brasileño. «Así hablamos, así miramos, así nos movemos, así tratamos a nuestros semejantes.» Cada película

57

popular instituye o refrenda el canon acústico y gestual que, intimidados, los destinatarios van adoptando, creyendo genuina la distorsión. ¿Y cómo saber si antes del cine la gente hablaba o se movía distinto?

En la primera mitad del siglo, por volumen de producción (en un momento dado cerca de doscientas películas al año) y porque la industria cree ser la única voz autorizada de la sociedad que se desdobla en la pantalla y en las butacas (o lo que de ellas hagan las veces), el cine mexicano es el más visto de América Latina. Si fuera de México su costumbrismo se vuelve exotismo divertido, y sus arquetipos y estereotipos fascinan pero sin convertirse en modos de vida, en México y en Centroamérica la identificación es desbordada. ¿Qué macho no perfecciona su brusquedad merced a las lecciones de Pedro Armendáriz o la apostura de hacendado de Jorge Negrete? ¿Qué profesional no desea incorporar a su voz las certezas educadas y seductoras de Arturo de Córdova? ¿Qué gracioso de barrio no se extravía en algún momento en el lenguaje queriendo renacer cantinflistamente? ¿Cuántas solteras o cuántos solteros ideales o reales no se enamoran hasta la angustia y la obcecación de una presencia fílmica? ¿Qué mujer agraciada no anhela disponer del maquillador, el modista, el peinador de Dolores del Río o María Félix? ¡Ah, quien quiera ya no ser terrenal necesita de un equipo técnico! Y si un espectador no tiene pretensiones, le queda un recurso: olvidarse íntimamente de los dioses o las diosas de la pantalla y fijarse con alborozo en los actores característicos, que compensan con sabiduría idiosincrásica su carencia de rostros de adoración.

Allá en el Hollywood chico

La película que inicia la moda del cine mexicano es *Allá en el Rancho Grande* (1936), de Fernando de Fuentes, con un cantante de formación operística, Tito Guizar, el compositor Lorenzo Barcelata y un reparto muy convincente de actores característicos. La trama es, por hacerle concesiones, elemental. En una hacienda «típica», se educan juntos dos niños, el hijo del patrón y el hijo del peón. Con el tiempo, uno llega a patrón (René Cardona) y el otro a caporal (Tito Guizar). Tal vez por lo reducido del mundo rural, los dos se enamoran de la misma joven, Crucita (Esther Fernández), huérfana que vive con su madrina, ser inescrupuloso que la «vende» al patrón. Hay canciones a granel, duelos de coplas en la cantina, carreras de caballos, malentendidos, castigo de la proxeneta fallida, reconciliación, armonía entre las clases sociales y final eufórico en ese paraíso rural, el Rancho Grande, crítica apenas disimulada de la Reforma Agraria del presidente Lázaro Cárdenas (1934-1940). Esta tontería política no se toma en cuenta en América Latina, donde un público amplísimo se divierte con la improvisación de un país y sus instituciones más verdaderas, las canciones.

Las melodías y sus letras implorantes o desafiantes fortalecen la comedia o aligeran las penurias del melodrama. En especial, la mezcla de comedia, melodrama y recursos del teatro de variedad encumbra a dos cantantes y galanes: Jorge Negrete, el Charro Cantor, y Pedro Infante. A la nación soñada entre disparates y aciertos casi involuntarios, cuyo nombre también es México, la caracterizan el perfil rural, los paisajes bellísimos, las tragedias que interrumpen los besos, y los charros que pasan sus días a caballo mientras un trío los acompaña a campo traviesa. En el caso de Jorge Negrete, de enorme repercusión, son evidentes las enseñanzas de Hollywood. El Charro Cantor viene directamente de una combinación: entrenamiento semioperístico y el ejemplo de los Singing Cowboys Gene Autry y Roy Rogers. Negrete llega a filmar en Hollywood, con el nombre de George Negrete, pero no son convincentes el folclor mexicano en inglés y la imitación servil. Se requiere del trámite donde géneros y personajes de Hollywood se adapten, se asimilen y, si valen la pena para su público, se conviertan en lo opuesto al modelo inicial. Y por eso resulta apenas natural el proceso de «nacionalización» de Negrete, cifrado en la quimera del macho, del mexicano sin concesiones, tan excepcional –aseguran los publicistas– que sus virtudes son inocultables: la conducta bravía, el atavío de hacendado, la arrogancia y las canciones:

> Yo soy mexicano, mi tierra es bravía,
> palabra de macho que no hay otra tierra
> más linda y más brava que la tierra mía.

Negrete coadyuva como ninguno al desbordamiento de la canción ranchera, en películas sabiamente intituladas *Ay Jalisco no te rajes, Así se quiere en Jalisco, No basta ser charro, Me he de comer esa tuna*. La mayor diferencia con Hollywood se localiza en la música: las *country songs* celebran la Naturaleza que se deja vencer, y la canción ranchera es un melodrama comprimido, de agravios desgarradores que exigen la atención dolida y un tanto ebria propia del blues. A partir de 1930-1935, la canción ranchera, elegía o celebración, establece su «regla de oro»: quien al oírla no se involucra existencialmente, pierde su tiempo. Se está ya a considerable distancia de *«Home on the range, / where the deer and the antilopes play...»*, y de *«Oh give me land, / lots of land...»*. Y lo que funciona en la comedia ranchera se aplica también a los otros géneros. Si en el principio todo es Hollywood, la vitalidad de la industria exige «nacionalizar» a través del exceso géneros, vetas argumentales y estilos de actuación.

El cine mexicano arraiga en las sociedades de habla hispana gracias a las comedias rancheras que vuelven «típicos» y francamente paródicos elementos divulgados por la Revolución Mexicana: rostros «ancestrales» (es decir, nativos que no han aprendido a sonreír), abundancia de color local, fusiones del «primitivismo» y el ánimo romántico, valor mínimo concedido a la vida y amor por la muerte y el etcétera que sigue albergando lo pobre y lo festivo. Por tres o cuatro décadas, y el efecto se prolonga parcialmente gracias a la inclusión de los films en televisión, el cine mexicano –estremecimientos tragicómicos, fantasías hogareñas o truculentas, oferta de leyendas– influye vastamente en la cultura popular de América Latina.

«Cuando vi la película, me di cuenta de lo bonito que es mi rumbo»

No creo exagerado un señalamiento: varias generaciones latinoamericanas extraen una porción básica de su formación melodramática, sentimental y humorística del equilibrio (precario y sólido a la vez) entre el cine de Hollywood y las cinematografías nacionales. Miles de películas aportan el idioma de las situaciones límite, las canciones que son voceros de la época, los rostros de excepción o de todos los días, el habla incomprensible y por lo mismo muy expropiable, y la ubicación de los elementos caricaturales de la ignorancia, la barbarie y la gazmoñería.

No es pareja la recepción del cine norteamericano. Entre el período de 1930-1960, aproximadamente, los espectadores, que suelen considerarse muy autóctonos, resisten el embrujo de algunos géneros fílmicos (en especial las comedias musicales) y se desentienden del culto del optimismo, ese chovinismo de las cargas de caballería que dispersan y diezman a comanches y apaches mezcaleros. Este triunfalismo recibe un nombre despectivo: «gringadas». Consciente de esas diferencias, el cine latinoamericano toma de Hollywood lo que puede, lo copia y lo reconstruye a escala, y en sus propuestas la originalidad surge de la falta de recursos. De la escasez provienen melodramas todavía más enloquecidos, frases en la cocina y la recámara como de heroínas ante el pelotón de fusilamiento, descripciones de la pobreza como victorias sobre el individualismo, complicidad a ultranza con las limitaciones del público. De la combinación del Hollywood del bienestar y del cine pobre de tragedias gozosas se desprenden nociones de «lo entretenido» que aún perseveran.

En América Latina, y sin opciones posibles, el cine sonoro fija la primera, muy autoritaria, versión moderna de lo que fastidia y de lo que agita las pasiones. El salto es considerable: a través de los géneros fílmicos, los espectadores asimilan a diario gustos antes inimaginables, admiten que las tradiciones son también asunto de la estética y no solamente de la costumbre y de la fe, se sumergen sin culpa en la sensualidad favorecida por las tinieblas, aprenden en compañía las reglas de los nuevos tiempos. Se promueve el cambio de una cultura determinada míticamente por los valores «criollos» o «hispánicos», a una de expresión «mestiza», ya americanizada en parte, que se incorpora a la modernidad como puede. Y a la dictadura de Hollywood las cinematografías nacionales oponen variantes del gusto, que derivan de la sencillez o simplicidad en materia de géneros fílmicos, de los presupuestos a la disposición, de métodos para entenderse con la censura, de estilos de los directores, de capacidad de distribución internacional, de aptitudes actorales, de formación de los argumentistas, etcétera. Hollywood intimida, deslumbra, internacionaliza, pero el cine de América Latina depende de la mimetización tecnológica y del diálogo vivísimo con su público, que se da a través de lo nacional: afinidades, identificación instantánea con situaciones y personajes (la simbiosis de pantalla y realidad), forja del canon popular. Y de la paciencia o la resignación ante el entretenimiento casero aún dominado por la familia y la comunidad, se pasa por cortesía del cine a un lenguaje de «idolatrías», de mitos que son fruto de los deslumbramientos en la soledad erotizada o relajada por las imágenes de la pantalla.

Logros de la censura: «Si no te arrodillas, por lo menos besa
la mano del sacerdote»

Aunque parezca increíble, dadas las experiencias nativas al respecto, de Estados Unidos también se importan los métodos y estilos de censura. El Código Hays, que reglamenta en Hollywood lo concerniente a moral y buenas costumbres, se implanta en América Latina con leves variantes. La Iglesia católica patrocina en Norteamérica a The Legion of Decency, y en Iberoamérica a La Liga de la Decencia, que participa de la alianza entre el Estado (que no quiere problemas por algo tan menor como el cine y suele cederle la vigilancia moral al clero), los obispos católicos y la familia, representada sin su consentimiento por los grupitos tradicionalistas. Más inexorable que la de Norteamérica, la censura en América Latina concibe a un público eterno menor de edad y necesitado de la reeducación parroquial.

La Liga de la Decencia somete a los gobiernos, y éstos le envían las películas para su dictamen moral. La clasificación es inapelable: A: aptas para todo público; B: para jóvenes y adultos con reservas; C: Prohibida para todos los católicos. Si en Estados Unidos la Legión se defiende del cargo de atentar contra las libertades alegando que lo suyo no es censura sino recomendaciones, en América Latina no necesita disculpas. Es simplemente el catálogo de prohibiciones que se hace presente en las hojitas distribuidas en los templos cada domingo. Las industrias fílmicas se rinden o aparentan rendirse, inútil oponerse a la Iglesia, no se conciben las campañas de resistencia. Se inician entonces «las dificultades para decir la verdad», y típicamente lo que se ve en la pantalla es lo opuesto a lo que se escucha. Se vierten regaños a la conducta equivocada, se prodigan sermones, se implanta el final infeliz para los pecadores y ya no se diga para las pecadoras, pero el lenguaje corporal de las «afligidas por el deseo» es rotundo y persuasivo. Una rumba bailada con gozo febril desbarata el cúmulo de admoniciones.

En 1939, el productor David O. Selznick forcejea durante meses para que se le permita a Clark Gable decir en *Lo que el viento se llevó* su frase más que célebre: «*Frankly my dear, I don't give a damn.*» En América Latina este litigio hubiese sido impensable, porque mientras se mantiene el imperio de la censura, el tradicionalismo no concede: condena del adulterio, desdichas infinitas para las que extravían la honra, camas gemelas para los matrimonios, ninguna mención explícita a la homosexualidad y el aborto, impensabilidad del lesbianismo, inexistencia del ejercicio laboral de las prostitutas (las «damas de la noche» y sus amantes nunca comparten desnudos o vestidos una cama). Las moralejas son de extracción religiosa: entre los pobres el pecado, la pasión y el apetito de dinero desembocan en la infelicidad y la muerte; el divorcio es el pórtico de la locura y el derrumbe psicológico de los hijos; un desnudo femenino ofende a los niños y los viejos; un acto contranatura tan molesta a Dios que no pertenece a la realidad. Sin embargo, ya en los años cincuentas las acciones de la Liga de la Decencia son chistes involuntarios.

En los años setentas la censura es tan obviamente anacrónica que en Hollywood primero, y luego en América Latina, se confina a unos cuantos temas sobre todo de la política. Una tras otra sus fortalezas se derrumban.

«Que veinte años no es nada, / que febril la mirada»

Las condiciones de producción y la improvisación extrema obligan en América Latina a un «cine de pobres», donde la escasez es signo de sinceridad y espontaneísmo. Por lo mismo, el arraigo de las cinematografías nacionales muy probablemente se debe a la contigüidad social y cultural de las industrias y los espectadores, lo que obliga a los segundos a considerarse, literalmente, parte de los acontecimientos de la pantalla. «Aquí se suministran señas de identidad al mayoreo.» Si lo que se ve es «exótico», sucede de cualquier manera a unas cuadras de la casa o en la misma ciudad. Casi no hay escenarios en verdad fastuosos, y las ambiciones estéticas de vanguardia se restringen al mínimo. Lo que se da, y a raudales, es vida popular, actuaciones notables por lo común inadvertidas, humor grueso, frases que se memorizan para disponer de vocabulario, de filosofía de la vida y de sentido del humor, nacionalismo que compensa del hecho de vivir en la nación, lágrimas que se vierten por las familias que sufren en nombre del género humano. Si se huye de lo real, se inventan los países: la Argentina de los conventillos y de las criaturas como «la costurerita que dio aquel mal paso, / y lo peor de todo, sin necesidad»; el Brasil de las sambas dolientes; el México del charro, el mariachi y el cabaret. (Es insuficiente la representación de las otras naciones.)

En los años treintas y cuarentas, al cine latinoamericano, sitiado por los problemas de distribución, lo benefician las multitudes que no leen a secas o no leen con rapidez los subtítulos de las películas norteamericanas, y las urgencias industriales de Estados Unidos en la Segunda Guerra Mundial. Se vigorizan entonces dos géneros ya predominantes: el melodrama y el cine musical, o como se le llame a la mezcla de tramas incoherentes y exceso de canciones. Son tan débiles los hilos argumentales, que para llenar el tiempo se exige el frenesí de un número tras otro. La fórmula, sencillísima, aprovecha un fenómeno del siglo XX: las canciones son parte indesligable del modo de vida, y el que canta un tango, digamos «Flaca, fané, descangallada, / la vi esta madrugada / salir de un cabaret...», no sólo aplaude las revanchas de la vida, también reafirma una manera de experimentar la ciudad y la vida nocturna. Y, bajo la influencia del tango o del bolero y la canción ranchera, las canciones fijan el tono e infunden a los films el espíritu de lo cotidiano. Por limitadas que sean sus facultades histriónicas, los cantantes que encabezan los repartos fijan el clima de adicción hogareña sin el cual no existirían las cinematografías nacionales. Y que todo repertorio melódico es un desfile de las sensaciones autobiográficas del espectador se prueba con las películas de Carlos Gardel, filmadas en Buenos Aires, París y Nueva York. Los espectadores interrumpen la proyección de *Melodía del arrabal* (1932), *Cuesta abajo* (1934) y *El día que me quieras* (1935), y exigen la repetición de las escenas donde Gardel canta. El delirio es homenaje al gran descubrimiento: si lo que oímos nos entusiasma, hagamos del cine un teatro de revista; si nos parecemos a personajes de la pantalla, nuestra condición es ya también cinematográfica, así jamás pertenezcamos al Star System; si la interpolación de las canciones da fluidez a las tramas, es porque sin canciones la vida se ensordece.

«¡Vete, no quiero que me beses!»

Un género del cine latinoamericano que combina la sujeción y la libertad de Hollywood es el melodrama, por razones evidentes: el cine argentino o el mexicano o el brasileño no creen alcanzar un mercado mundial, y confían por tanto en los poderes del exceso; en América Latina el melodrama ha formado a los públicos unciéndolos a su lógica de ir hasta el fondo para allí, en «el cementerio de las pasiones», recobrar la serenidad; el desafuero alcanza simultáneamente a dos estímulos poderosos del público: el sentido del humor y el sentido del dolor. Las carcajadas del dolor.

Véanse por ejemplo algunos títulos de películas que Libertad Lamarque, la Dama del Tango, filma en Argentina: *El alma del bandoneón* (1935), *Ayúdame a vivir* (1936), *Besos brujos* (1937), *La luz que olvidaron* (1938), *Madreselva* (1938), *Caminito de gloria* (1939), *Yo conocí a esa mujer* (1942). En *Besos brujos*, Lamarque aferra al canalla que la ha

66

secuestrado y lo besa con agresividad en repetidas ocasiones mientras exclama: «¡Devuélveme los besos!» ¿Cómo se va más allá?

Así tome argumentos y escenas de Hollywood, el desenfreno del melodrama mexicano lo convierte en un género aparte. ¿Cómo superar la incontinencia argumental de *Nosotros los pobres* (1947), de Ismael Rodríguez, donde todos los personajes sufren sin cesar, la madre agoniza en el hospital mientras la hija (sin saber los vínculos sanguíneos) la insulta, la madre la bendice y muere, y la hija, ya enterada, se aferra al camastro? O la escena en *Víctimas del pecado* (1950), de Emilio Fernández, donde una cabaretera, obligada por su gigoló, abandona al hijo recién nacido en un cubo de basura, mientras otra cabaretera (Ninón Sevilla) corre a buscarlo salvándolo segundos antes de que llegue el camión recolector. El repertorio es infinito, y en el gozo por el espíritu de sacrificio como entendimiento de lo real, se cifra la autonomía del melodrama latinoamericano.

Los grandes *tear-jerkers*, de *Mildred Pierce* a *Written on the Wind*, disponen de público, ciertamente, pero es la potencia del exceso la que mantiene la lealtad de los latinoamericanos hacia sus melodramas, y la que produce películas extraordinarias. Mucho de lo mejor del cine de América Latina empieza siendo melodrama convencional. Del dolor a mares casi nadie se libra. Es la oportunidad de la sinrazón y de la locura emotiva que permite a los directores escapar de la censura y de la pobreza de recursos. Al deshacerse la «base social» del melodrama (la creencia en el pecado y la fe en la vida como enfrentamiento del bien y el mal), el cine latinoamericano pierde su plaza fuerte, y abandona su confianza en la eficacia previa de los géneros. Ahora cada película se justifica por sí misma o se pierde en la sala de espera de las programaciones de televisión.

Lo que se adapta y lo inadaptable

El escollo básico para adaptar las fórmulas de Hollywood es de índole presupuestaria. ¿Cómo financiar las grandes superproducciones si se dispone de un público pobre y periférico? Algo se intenta en el cine histórico, que imita con descaro al de Estados Unidos, y quiere aplicar los métodos de las biografías del Lincoln de D. W. Griffith y John Ford a las de Simón Bolívar y Miguel Hidalgo y Costilla. Como siempre, el «universalismo» imperial parece devorar los particularismos, y esto obliga a rehabilitar una y otra vez lo nacional ante sus espectadores naturales. (El colmo de la sujeción es una película mexicana, *Las dos huerfanitas*, de 1943, plagio de *Orphans of the Storm*, de D. W. Griffith, que con tal de ofrecer sus atmósferas de la Revolución Francesa, usa sin dar crédito stockshots de *A Tale of Two Cities*, de Jack Conway, de 1935.)

En Brasil, las *chanchadas*, un género de humor y de música, revaloriza la vida cotidiana de su público con farsas y melodramas, con cantantes y orquestas que están o se pondrán de moda, lo que va de la espectacularidad de Carmen Miranda, que en los años cuarentas triunfa en Hollywood, a Gilda de Abreu, heroína de operetas como *O ebrio* (1947), y Carmen Santos, estrella de *Favela dos meus amores* (1935). En México, la condimentación musical del melodrama garantiza el triunfo del género «híbrido». Buenas, regulares o abominables, las películas le aportan algo sustancial a su clientela, al integrar ferozmente la pareja, la familia, el barrio, la región, la nación. De allí la validez radical de los géneros, porque son simultáneamente arraigo y huida.

Aquí los chistes nunca son lo chistoso

El género que, por fuerza, resulta el más independiente de Hollywood es el cine cómico. En América Latina se imita a Chaplin hasta el hartazgo en todo tipo de espectáculos, pero en el cine no influyen ni Chaplin, ni Buster Keaton, ni Harold Lloyd, ni W. C. Fields, ni los hermanos Marx. Faltan guionistas y escritores de diálogos, y aprecio imaginativo por el gag o chiste visual, y sólo se cuenta con las tradiciones del teatro frívolo. Ni las *chanchadas*, ni la comicidad de Niní Marshall Catita y Luis Sandrini en Argentina; ni los films de Mario Moreno Cantinflas, Germán Valdés Tin Tan, Joaquín Pardavé y Adalberto Martínez Resortes en México, se caracterizan por su ingenio literario y la brillantez de sus gags. Lo suyo es la vehemencia que regocija a su público, el ingenio descifrable por los coterráneos, y la gana de revuelta contra los policías, los abogados pomposos, las señoras de sociedad, las beatas, los solemnes. Cantinflas, sin duda el cómico más popular, extraordinario en su primera etapa, atrae por su espontaneidad gestual, su habla circular y el «jazz» incomprensible de sus ritmos verbales; pero no, de manera alguna, por la brillantez de sus guiones.

Es imposible evaluar el significado del Cantinflas de 1937 o 1945, el modo en que su *no decir* se transforma en significación beligerante, un «juguete cómico rabioso» que ensalzan en el mundo de habla hispana públicos sin experiencia del lumpenproletariado de México. El éxito quizás sea inevitable: en cinematografías sin guionistas de calidad y *gagmen*, nada alegra tanto como el humor intransferible e intraducible, que seduce no por el sentido sino por el sonido y la actitud. Por otra parte, dada la censura, ¿qué equivalentes podrían haberse dado de la virulencia surreal de Groucho Marx o del nihilismo retórico de W. C. Fields? Los cómicos latinoamericanos son emblemas de la necesidad de reírse teniendo de fondo la acústica nacional, y la observación aguda de tipos y caracteres. Sin equipo ni industria que realmente los apoye, si por algo persisten los cómicos es por la enorme identificación con los espectadores. No hay duda, en América Latina el cine de humor es un reducto vigoroso de lo nacional: «Sólo nosotros nos reímos de estas cosas, sólo nosotros captamos el doble sentido, el peso específico de algunas palabras, el ritmo popular.»

La vanguardia, el culto a las hazañas y la toma de conciencia

En América Latina casi no hay cine de vanguardia. Las películas excepcionales no crean movimiento alguno, tal como acontece en Brasil con *Límite* (1929), de Mario Peixoto, un film casi abstracto realizado por un joven de dieciocho años, que aún deslumbra. (En 1988 una encuesta de críticos lo declara el mejor film de la historia del cine brasileño.) En México, y pese y gracias a su audacia formal, *Dos monjes* (1933), de Juan Bustillo Oro, un intento de cine expresionista, desconcierta y ahuyenta al público. Al cine de alabanza biográfica se le reserva por lo común el homenaje del humor involuntario; en cambio el cine de intenciones épicas dispone, de los treintas a los ochentas, de éxito sostenido. En Argentina, la pampa es el lugar de los orígenes, el territorio del traidor y el héroe, como afirma Ezequiel Martínez Estrada en su *Radiografía* y como escenifica el director Lucas Demare en *La guerra gaucha* (1942) y *Pampa bárbara* (1945). A la luz de la Revolución Cubana esta tendencia desemboca en *La hora de los hornos* (1966-1968), de Solanas y Getino, y *Los inundados* (1961), de Fernando Birri, y luego, al reconsiderarse la «guerra sucia» de la dictadura, en la serie de películas cuya cumbre melodramática es *La historia oficial* (1986), de Luis Puenzo. Un caso aparte es *Camila* (1984), de María Luisa Bemberg, sobre el personaje histórico de Camila O'Gorman, enamorada de un sacerdote. El género al que se adscriben estas películas es el *epic-weepy*, el melodrama donde el individuo, la pareja y casi siempre la colectividad son las víctimas del destino que renuncian a tal condición pasiva con tal de protagonizar la historia.

70

En México, el cine épico gira en torno a la Revolución Mexicana. Los films más perdurables, *Redes* (1934), de Fred Zinnemann, y *Vámonos con Pancho Villa* (1935), de Fernando de Fuentes, de gran belleza formal, son cantos comunitarios. *Redes* se centra en la toma de conciencia, y *Vámonos con Pancho Villa* en la fragilidad y la dureza de los seres humanos en la revolución. Estas películas, más la influencia de Sergio Eisenstein y John Ford, son el gran principio del cine nacionalista, que culmina en la obra de Emilio Fernández el Indio, director, y Gabriel Figueroa, camarógrafo. A *Flor Silvestre* (1943), *María Candelaria* (1943), *Enamorada* (1945), *Río Escondido* (1946) y *Pueblerina* (1949), las limita la cursilería de los diálogos y la música de fondo, y las potencia la fotografía de Figueroa, la intuición del Indio Fernández y la calidad de sus primeras figuras: Dolores del Río, María Félix, Pedro Armendáriz, Roberto Cañedo, Columba Domínguez. Su inspiración es obvia: el género llamado *Americana*, donde la reconstrucción de la vida de una pareja o una familia en un momento histórico de excepción sirve de plataforma de las pasiones nacionalistas. Pero lo que en John Ford es exaltación positiva, en las películas del Indio Fernández es la imposibilidad frenética de la dicha y la certeza de un hecho fundacional: el país se construye sobre infelicidades. Nada más alejado de la suerte de la pareja John Wayne-Maureen O'Hara que el destino de la pareja Dolores del Río-Pedro Armendáriz. En las películas del Wild West, la solución feliz es el resultado natural del avance de la civilización; en el caso mexicano, la tragedia es el pago mínimo por el derecho a vivir la historia. Y luego, el «cine de la Revolución Mexicana» se convierte en parodia del western con María Félix en el papel doble de María Félix y John Wayne o, de vez en cuando, en homenajes al realismo socialista.

«Principio, desarrollo y fin, pero no necesariamente en ese orden»

La ruptura tajante con el esquema hollywoodense se produce en los años sesentas a raíz de la Revolución Cubana y la creación del Instituto Cubano de Artes e Industrias Cinematográficas (ICAIC). Las sensaciones libertarias y las metas de autonomía de nación y de clase propiciadas en esos años por el castrismo, suscitan adhesiones emotivas y políticas en el público y los cineastas latinoamericanos, hartos de las «gringadas» y partidarios de las visiones militantes envueltas en las frases normativas de Fidel Castro y el Che Guevara: «Hay que amar a nuestros enemigos con odio revolucionario.» La novedad y el impulso de empezar como desde cero dan origen a films importantes: los documentales de Santiago Álvarez, *La muerte de un burócrata* y *Memorias del subdesarrollo* de Tomás Gutiérrez Alea, *Lucía* y *Un hombre de éxito* de Humberto Solás, *Retrato de Teresa* de Pastor Vega. Luego, la censura se acrecienta (la urgencia de sólo filmar cine con mensaje explícito) y se institucionaliza la crisis política y económica de Cuba.

El llamado a la conciencia comunitaria tiene consecuencias muy positivas como las de Brasil, donde el cine épico o antiépico (en América Latina es muy difícil la separación de términos) va de *O cangaceiro* (1953), de Lima Barreto, al Cinema Novo de los sesentas, fruto de una generación relevante, influida por la política y por las ambiciones que desata la Revolución Cubana: Glauber Rocha, Ruy Guerra, Carlos Diegues, Nelson Pereira dos Santos. La ruptura con Hollywood es frontal, tal y como la ejemplifica Glauber Rocha, el brasileño de mayor proyección internacional, con *Antonio das Mortes, Barravento, Dios y el diablo en la tierra del sol* y *Tierra en trance*. El cine de Rocha entusiasma a estudiantes, obreros, profesionales jóvenes, organizadores campesinos. Alejadas por entero de la lógica del modelo épico, estas películas –confusas, brillantes, renovadoras del lenguaje fílmico–

72

celebran «el amanecer histórico», el gesto radical como proeza en fragmentos, la música que es el mayor horizonte anímico, el misticismo menos atento a la ideología que al sitio que los seres ocupan en el paisaje. El montaje y el ordenamiento de las secuencias vuelven al espectador un «organizador» del film, que debe jerarquizar los materiales y hacerse cargo de esa sustancia postergada de los pueblos: las reacciones justas ante las matanzas ordenadas por la oligarquía, ante el diluvio de mártires que presagia la rebeldía iniciada en la sala de cine. Y se despliega entonces el Tercer Cine de Bolivia, Uruguay, Perú, Chile, que impulsa las películas del chileno Miguel Littin (*Acta general de Chile, El chacal de Nahueltoro*), del boliviano Jorge Sanjinés, del peruano Francisco Lombardi, muy bien analizadas por John King en *Magic Reels* (1990), su excelente historia del cine latinoamericano. Las sensaciones libertarias y las metas propiciadas durante unos años por el castrismo (la justicia social y la revolución totalizadora) encuentran adhesiones emotivas y políticas en los latinoamericanos. Luego, el impulso se debilita y la estética «independentista» no arraiga.

Paisajes de «lo intraducible»

Si la relación con Hollywood (el eterno aprendizaje, la manera de hacer cine) es interminable, no todos los géneros consiguen aclimatarse. Así por ejemplo, el *film noir* o «cine negro», de aprendizaje urbano y temas policiales, de madrugadas de pesadilla y políticos y policías corruptos. En Estados Unidos el *film noir* en los años cuarentas y cincuentas usa de la vitalidad literaria de James M. Cain, David Goodis, Horace McCoy, Cornell Woolrich (William Irish), Dashiell Hammett y Raymond Chandler, a cuyas novelas hacen justicia la fotografía excepcional en blanco y negro y la dirección extraordinaria de, entre otros, Robert Siodmak,

Edgar G. Ulmer, Jules Dassin, Otto Preminger. En América Latina, las ventajas de utilizar el género son notorias. ¿Qué más propiamente latinoamericano que las complicidades del hampa y la política, y la vastedad de las zonas de corrupción e impunidad? Faltan sin embargo elementos cruciales: el vigor de una novelística que genere personajes memorables, el estilo visual que notifique de otra perspectiva urbana y, lo más importante, el desarrollo del personaje culminante del cine negro, la ciudad interminable, propietaria en las noches de otra personalidad, con amores enloquecidos que sólo redime la traición, gángsters cuyo talón de Aquiles es una rubia inmisericorde, cabarets, escondrijos, callejones que albergan los estremecimientos malignos. En México, el género de cabareteras y rumberas utiliza el paisaje de la vida nocturna, pero su contexto las más de las veces es el melodrama tradicional y en estas películas *el mal* es todavía el *pecado* y los gángsters son unidimensionales.

La «ciudad de pesadilla» (Dashiell Hammett), la «ciudad desnuda», no surge todavía entre otras cosas por el proceso desigual de la industrialización, la ausencia de un registro narrativo heterodoxo y la omnipresencia de la censura. Un ejemplo: la novela del mexicano Rodolfo Usigli *Ensayo de un crimen* (1943) es, en rigor, una novela *negra*, semejante en más de un punto a los climas narrativos de David Goodis o, sobre todo, de Cornell Woolrich. Usigli marca el descubrimiento de lo urbano como palimpsesto de ciudades, y su personaje De la Cruz es un asesino fallido al principio, que se declara culpable y se le descubre inocente, y no se cree su confesión cuando al fin comete el crimen. En la adaptación de Luis Buñuel la censura debilita los equivalentes posibles de las atmósferas de obsesión, criminalidad y homofobia, y la trama se reduce a un caso (reblandecido) de psicopatología motivada por el recuerdo de un vals.

El *film noir* sólo tiene cabida en América Latina cuando es ya un anacronismo. En México, con todo, hay muestras

74

interesantes del género: *Distinto amanecer* (1944, de Julio Bracho), *La noche avanza* (1951, de Roberto Gavaldón) y *Cuatro contra el mundo* (1949, de Alejandro Galindo). En las tres películas otra ciudad se configura, la del organizador sindical perseguido por pistoleros *(Distinto amanecer);* la de un pelotari envuelto en manejos gangsteriles y al cual el entorno le es súbitamente hostil *(La noche avanza);* la de cuatro asaltantes, destruidos por el recelo y la tensión, que se esconden para autodestruirse en el infinito de las azoteas *(Cuatro contra el mundo).*

Si el *film noir* no prospera, en cambio el *thriller* es incontenible, impuesto por la beligerancia del narcotráfico y por una urgencia: si ya se perdió el público de clases medias, debe retenerse la gran clientela popular. En sus años de auge industrial, el *thriller* es prolífico, en variantes casi siempre ínfimas de la serie B de Norteamérica, con su secuela de cadáveres, explosiones en cadena, autos (no muy lujosos) que se precipitan en el vacío, traidores que se dejan traicionar, antihéroes que marchan hacia la muerte porque esa tarde no tenían que hacer. Fruto de la imitación descarada, del culto a la pobreza en materia de efectos especiales, el *thriller* en América Latina suple con parodias las emociones genuinas que la invocación del alto riesgo debería provocar. Los espectadores se divierten con el universo de cartón piedra, los trucos lamentables, los asesinos que –para ganarle la mano a las balas– se derrumban antes de que alguien dispare. Y, de seguro, a este público pertenecen los narcotraficantes verdaderos que se identifican no con su representación en pantalla sino con el vuelo de la fantasía de *comic-book.* Las películas se titulan, golosamente y por ejemplo, *Operación Mariguana* (1985), *Masacre en el Río Tula* (1986), *Matanza en Matamoros* (1984), *Los narcosatánicos diabólicos* (1989). Por momentos, a la imaginación infantil de estos *thrillers* la invade el *grand-guignol,* pero, más que imitar, el *thriller* latinoamericano se ocupa en exhibir las frustraciones. Estos presupues-

75

tos raquíticos, parece decir la industria, ni siquiera nos permiten la imitación.

Sin embargo, a partir sobre todo de 1990, el *thriller* se vuelve género imprescindible de cineastas talentosos convencidos de los vínculos incestuosos entre política y delito.

«El vampiro desenfundó el último»

Algo patético sucede las más de las veces con el western y el cine de horror en América Latina. La conquista del espacio inmenso, la forja a balazos de la civilización, la mezcla de escenarios trágicos con promociones del valor individual (y del chovinismo norteamericano) son elementos que convocan la repetición. Grita el productor: «¡Ya tengo la película! ¡Qué tema! Un hombre busca su destino, y su puntería es portentosa.» ¿Y a qué actor no le gustan los roles de John Wayne, James Stewart, Gary Cooper, Errol Flynn y Randolph Scott? Una canción del mexicano Chava Flores describe el encanto:

> En las áridas regiones de la América del Norte
> se agarraron a balazos policías y ladrones,
> Tom Mix, Buck Jones, Bill Boyd, Tim McCoy.

Desde una perspectiva «latina», el género atrae también por uno de sus escenarios centrales: los pueblecitos en la frontera de México y Estados Unidos, con su cuota de salvajismo y ferocidad, su abandono y su apariencia de trampa de adobe. El conjunto de incitaciones obtiene la complicidad del público, que se exalta al salvar el regimiento de caballería al héroe y a la heroína a punto de sucumbir. Mientras se ahuyentan, diezmándolos, a los indios, los pieles rojas, sus descendientes más que probables gritan de felicidad en las butacas. Y el género del «western-enchilada», en los sesentas y setentas, se propone extraer ventajas del esquema probado, que ocurre en escenarios pobrísimos, bajo la tiranía del argumento único (los malos dominan al pueblo, los malos asesinan al padre del héroe, el malo quiere seducir a la joven virtuosa, el héroe, difamado, se resarce de todo y en el *showdown* final liquida a la pandilla y alienta a la comunidad en la ruta hacia el Progreso). No hay aquí ecos de *Shane, High Noon, My Darling Clementine* o *The Wild Bunch*. Más bien, y con prodigalidad, la misma película le llega al mismo público alborozado porque, al menos en el cine, nada cambia. «Mientras me divierta como siempre, el tiempo no transcurre en mi contra.»

En el caso del cine de horror, los resultados varían, aunque no escasean las obras maestras de humor involuntario. Si en el «western-enchilada» el pueblo se reduce a dos casas y una cantina, en las películas de horror el castillo se contrae y un solo set grandilocuente alberga la sala feudal, las mazmorras, los pasadizos de ultratumba. Hay películas decorosas (*El vampiro*, 1956, de Fernando Méndez), pero la mayoría son incursiones en el kitsch: *La momia azteca, La cabeza de la momia azteca contra los profanadores de tumbas, Ladrones de cadáveres*, y así sucesivamente hasta culminar en *El Santo contra las mujeres vampiro*.

«Pero el divorcio, porque es pecado, no te lo doy»

Estas notas no pretenden, ni podrían hacerlo, abarcar la variadísima historia de las relaciones de Hollywood y el cine latinoamericano, sino acercarse a situaciones evidentes y tendencias orgánicas. Y en este paisaje lo más original resulta el relato de las desventuras planetarias tal y como las experimenta un individuo, una pareja, una familia, una comunidad. En materia de captar las exasperaciones anímicas y de negarse a reconocer límites, son insuperables la cinemato-

77

grafía argentina y la mexicana, que hallan sus límites y su desbordamiento en el melodrama, universidad de las rupturas y las reconciliaciones. Y el conjunto lo enlaza el hábito de siglos que otorga a cada persona o a cada núcleo sufriente las dimensiones cristológicas, vuelve al pecado la felicidad secreta y el goce público, y genera la serie de transfiguraciones donde los pobres mueren como si fueran ricos, los ricos sufren por no gozar como si fueran pobres, las familias son el infierno celestial, y el amor es la única redención previa a la muerte. Por la intercesión del melodrama, la teología elemental se seculariza. De 1930 a 1960, nada se opone al melodrama cuyo modelo clásico, en radio, cine y televisión, es *El derecho de nacer* (1949), del cubano Félix B. Caignet. Lo propio del género es hacer de las emociones amorosas y las catástrofes familiares la gesta al alcance del público. Sufrir a trasmano y aceptar esa divulgación laica del cristianismo que cada melodrama contiene, es ingresar en el deleite de la expiación sin consecuencias. Los melodramas facilitan a sus espectadores ese viaje de las tradiciones rurales a las urbanas, y de regreso. En la década de 1940 se inicia la explosión demográfica que poblará con abundancia incontenible la América Latina, y en el estallido de las costumbres el melodrama se responsabiliza por el resguardo de lo tradicional. Todo cambia a tu alrededor, oh, público, sería el mensaje, pero si ves estas películas seguirás obteniendo con rapidez la experiencia catártica: la desdicha, la que se encarniza con igual furia pero no de igual modo con pobres y ricos.

El cine entrega a varias generaciones de latinoamericanos gran parte de las claves en el accidentado tránsito a la modernidad.

PERO ¿HUBO ALGUNA VEZ ONCE MIL HÉROES?

«SI DESENVAINAS, ¿POR QUÉ NO POSAS DE UNA VEZ
PARA EL ESCULTOR?»

El dúo dinámico: la Historia y los héroes

¿Para que existen los «espejos de virtudes»? ¿Estimulan a
los que allí se reflejan? ¿Son retratos ideales o metas imposibles? ¿Son concebibles las sociedades sin personajes em-
blemáticos? Si se aplican a los dos siglos de vida independiente en Iberoamérica, las preguntas se multiplican: ¿cómo
se fragua el canon de los seres ejemplares?, ¿quiénes determinan lo canónico de un comportamiento?, ¿qué criterios deciden la ejemplaridad?, ¿a quiénes califica el Estado de seres
admirables, a quiénes la sociedad y cuáles son los puntos de
acuerdo?, ¿cómo se forjan, encumbran y consolidan los héroes, las grandes personalidades, los ídolos?

Incienso en el altar de la Patria

A lo largo de las guerras de Independencia, la creación
de símbolos y paradigmas de las naciones obedece a un esquema inevitable: la traducción a la vida civil de los modelos
impuestos por el catolicismo. Se exige el equivalente laico de
la santidad o intentos nobles en esa dirección. No hay de
otra. Sólo si les rinden culto, las comunidades recién inde-

pendizadas creen en los héroes. Sin aura religiosa no hay veneración. A su modo, la nación es una entidad «mística» («La Patria es primero») y los héroes son los santos de la hora presente, cuyo sacrificio vuelve libres a los hombres y cuyo desinterés genera esa entrega valerosa a la nación que se da en llamar *civismo*. Durante el siglo XIX, el mecanismo es infalible: se combinan los santos propiamente dichos y el santoral republicano, las vírgenes y las heroínas, los beatos y los sabios. A la nueva tradición de los oficiantes en el altar de la Patria se le aplican los métodos de la hagiografía, que en la Edad Media ha visto concluir su crecimiento ilimitado.

Dos conceptos se imponen, complementándose y dividiéndose el trabajo: la Historia y los héroes. En el siglo XIX, la Historia, nueva deidad de Iberoamérica, es, en cada país, la señal de la autonomía: «Si la Historia es nada más nuestra, ya somos algo. Tener Historia, así sea trágica, y sobre todo si es trágica, es señal de identidad.» Y la Historia es la única zona donde no rige la impunidad, la certidumbre del viaje hacia el Progreso, el sinónimo del destino inescapable («De la Historia nadie huye»), el registro fatal de personajes y acontecimientos, el ámbito de *consagración* (el termino es preciso) del patriotismo, y el «Juicio Final» al que acuden igualmente próceres y traidores. La Historia absuelve y condena, y la gran clave para entenderla y fijarla en la memoria colectiva es el heroísmo, medio masivo de difusión de las Repúblicas.

La religión cívica del siglo XIX es la «guía de los pueblos», y el culto a la Historia, maestra de las naciones, resume lo que se ha sido y anticipa (con lucidez teñida de tragedia) lo que se ha de ser. La Historia es un cancionero de gesta y de la Historia (sinónimo de la memoria vencedora o de los libros de texto del porvenir) se esperan los dictámenes inapelables. «Aguardo confiado el juicio de la Historia» es la frase que escuda por igual el cinismo y la entrega patriótica. Los Presidentes de las Repúblicas, en especial, le confieren a la Historia el papel de la deidad de rituales ajustables. En buena medida, el «juicio de la Historia» es el tótem que toman profundamente en serio incluso los caudillos sanguinarios, de cinismo suspendido al imaginar las sentencias del porvenir.

Protagonistas del alma universal

¿Qué es el heroísmo? En la definición –instrumentada con discursos, elogios incesantes y monumentos– se mezclan el patriotismo, el temple de espíritu y el arrojo sin límites. Héroe es el valiente elevado por la grandeza de la Patria inminente, héroe es el ser único que se distingue de la masa pobre o sin voluntad, héroe es el dador de sacrificios que redimen. Y estas edificaciones simbólicas son fruto de una estrategia notable (voluntaria e involuntaria), donde interviene una literatura presidida por *De los héroes y el culto a los héroes y lo heroico en la historia* (1840), de Thomas Carlyle, el tratado de los seres excepcionales que regalan su perfil a los pueblos anodinos. Desde las primeras líneas, el mensaje es devastador: las comunidades son apenas el escenario del esfuerzo máximo de unos cuantos:

Ésta (la Historia Universal), el relato de lo que ha hecho el hombre en el mundo, es en el fondo la Historia de los Grandes Hombres que aquí trabajaron. Fueron los jefes de los hombres; los forjadores, los moldes y, en un amplio sentido, los creadores de cuanto ha ejecutado y logrado la humanidad. Todo lo que vemos en la tierra es resultado material, realización práctica, encarnación de Pensamientos surgidos en los Grandes Hombres. El alma universal puede ser considerada *su* historia.

Carlyle analiza al héroe como divinidad (Odín), al héroe como profeta (Mahoma), al héroe como poeta (Dante, Shakespeare), al héroe como sacerdote (Lutero, John Knox), al héroe como literato (Johnson, Rousseau, Robert Burns), al héroe como rey (Cromwell, Napoleón). Su tono es desbordado, adorador: «El rayo es el Gran Hombre, con su fuerza emanada de la mano de Dios. Su voz es la palabra sabia que cura, en la que todos pueden creer. Todo arde a su alrededor, una vez que ha sido tocado por él...» La tesis, extremada hasta el delirio, desemboca en «la entrega incondicional del poder a hombres fuertes y silenciosos» (Borges), pero en América Latina también crea el equivalente de la alta nobleza. A esta «visión primigenia» se añaden la literatura del romanticismo, que encumbra la idea del hombre singular, libre, digno adversario de la injusticia y los fanatismos; la elocuencia del pasado grecolatino y la centralidad de dos revoluciones: la norteamericana y la francesa.

El concepto tradicional del héroe es excluyente y no concibe a las heroínas. El heroísmo, en las definiciones de textos de historia, novelas y discursos, es por fuerza masculino. El héroe puede ser santo y ser sabio, pero la sustancia primordial es la capacidad de salvación de los demás. Guerrero, revolucionario, disidente, con gran frecuencia es sacralizado por el derramamiento de su sangre. La tragedia en la que se sumerge lo humaniza y, al mismo tiempo, lo diviniza. Es como todos porque sufre y muere; es absolutamente único porque sufre y muere por los demás. John Lash describe una parte imprescindible del proceso en *The Hero. Manhood and Power*:

> Incluso figuras semilegendarias presentadas como héroes nacionales, del tipo del Cid Campeador, persisten en la imaginación de manera no comparable a la fama de figuras históricas cuyos nombres enarbolan muchedumbres tumultuosas: Zapata, Mao, Che, Castro, Mandela. Héctor es más heroico que Castro por su lejanía en el tiempo, que lo vuelve adaptable a lo que uno desee imaginar sobre él, porque el carácter y las acciones de Héctor no se modifican a través de las edades, mientras que el carácter y las acciones

de Castro admiten valoraciones negativas, son dudosas y su valor se modifica de continuo. Héctor y Lancelot y el Cid son figuras que sobreviven en la imaginación humana de modo inaccesible para los héroes históricos.

«He arado en el mar»

Garantizada la incondicionalidad de las sociedades latinoamericanas, el heroísmo ayuda a estructurar las conciencias nacionales, encauza la lectura de la Historia y, en los distintos niveles sociales, suscita simultáneamente el sentimiento de orgullo y la conciencia de fragilidad. «Somos potentes: tenemos héroes; somos frágiles: casi todos nuestros héroes son mártires.» Recuérdese que la independencia de las Repúblicas es consecuencia de guerras de liberación en donde las vanguardias políticas y militares son con frecuencia destrozadas. Entre otros, son muy desoladores los finales de Miguel Hidalgo, José María Morelos, Francisco de Miranda, José de San Martín, Simón Bolívar, incluso, ya a fines del siglo XIX, de José Martí. No escasean entre ellos los que, con sus palabras, terminan admitiendo como Bolívar: «He arado en el mar.» Pero su recuerdo afianza el patriotismo, y configura el panteón de los dioses tutelares de las Repúblicas.

Las guerras de Independencia afianzan el rumbo del heroísmo en tanto concepto cultural. Los héroes son comunicaciones libertarias, versiones a escala del proceso de Cristo y esperanzas sólidas en la resurrección del pueblo. La cultura cívica se funda en el repertorio de paladines: Bolívar, San Martín, Hidalgo, Morelos, Mina, Artigas, Sucre, O'Higgins, Juárez, Martí, Céspedes, Máximo Gómez... Los héroes, arma poderosa de una etapa de la secularización, cubren el segundo paisaje espiritual, son la gran escenografía de las naciones, y no se le niegan a entidad alguna, por reducida que sea. Ni las regiones ni los pueblos medianos y pequeños se abstienen de sus representantes hazañosos, motivos de orgullo de las colectividades, responsables en lo psicológico y lo político de la categoría fundacional: el modelo del habitante del país independiente, siempre esforzado, ya no sujeto a las monarquías, y sólo obligado a respetar las hazañas de precursores y fundadores de la Patria, y la conducta de sus herederos directos, los gobernantes. Y en sus derrotas y frustraciones los héroes detallan –cada uno con diferente estilo vital– las interminables dificultades para integrar a las naciones (muy pocos emblematizan, como Benito Juárez, victorias irrefutables). Y su paga, a modo de oraciones por la intercesión ante el mundo civilizado, es el torrente de elogios. Simón Bolívar, por ejemplo, describe a Sucre: «Es el valiente de los valientes, el leal de los leales, el amigo de las leyes y no del despotismo, el partidario del orden, el enemigo de la anarquía, y finalmente un verdadero liberal.» Y Martí evoca en 1893 a Máximo Gómez:

A caballo por el camino, con el maizal a un lado y las cañas a otro, apeándose en un recado para componer con sus manos la cerca, entrándose por un casucho a dar de su pobreza a un infeliz, montando de un salto y arrancando veloz, como quien lleva clavado al alma un par de espuelas, como quien no ve en el mundo vacío más que el combate y la redención, como quien no le conoce a la vida pasajera gusto mayor que el de echar los hombres del envilecimiento a la dignidad, va por la tierra de Santo Domingo, del lado de Montecristo, un jinete pensativo...

No hay otra técnica de identificación. El héroe es un trasunto del Redentor, que nada guarda para sí, y reconstruye el género humano en países doblegados por los siglos del colonialismo. Y, con gesto principesco, los que registran y escriben la Historia están dispuestos a darle una mínima oportunidad a las masas, que ven elegidos a dos o tres de sus integrantes, capaces de «expiar» su anonimato con el martirio.

Al servicio de los héroes se coloca ese formidable aparato de condolencias y homenajes de la República, los programas de historia escolar. Y con tal de minimizar el olvido se imponen a calles y avenidas y ciudades y países los nombres consagrados e incluso las «fechas heroicas», mientras se prodigan bustos y estatuas y conjuntos escultóricos y efigies en billetes y monedas. ¿Qué países o ciudades podrían marginarse de la nomenclatura heroica? No ciertamente Bolivia, o Belgrano o Ciudad Juárez o Sucre. A las Repúblicas –la creencia no necesita mayor verbalización– se las edifica con procedimientos que van de las leyes a la repetición de nombres culminantes, que condensan logros individuales y nacionales. Disuelve las deudas contraídas por la amnesia cívica quien vive en la avenida Martí o deposita bolívares en el banco o nace en Ciudad Lázaro Cárdenas o concierta una cita amorosa frente a la estatua del general San Martín. Y es deliberada la pedagogía que asocia nombres y proezas con maneras de ser de las colectividades. Escribe en 1878 el héroe liberal mexicano Ignacio Manuel Altamirano:

> Así pues, en un pueblo en que no hay monumentos que eternicen la memoria de los héroes y en que hasta escasean las noticias acerca de ellos, no es de extrañar que no haya florecido la poesía épica nacional. Al contrario, lo sorprendente es que aún quede historia o tradición de lo que fueron, entre las clases más cultas. En cuanto al pueblo ignorante, haced la experiencia, preguntad a un hombre cualquiera, sea de los indígenas analfabetos, o bien de los mestizos que hablan español y que saben leer, quién es la Virgen de Guadalupe o el santo de tal o cual pueblo y os dirá al instante la historia o la leyenda de los milagros. Preguntadle en seguida quién fue Morelos y quiénes fueron los Galeana, Mina, Guerrero, los Bravo, los Rayones, Valerio Trujano,

Pedro Ascencio, y se encogerá de hombros, no sabiendo qué responder, ¡apenas se conserva un vago recuerdo de ellos en los lugares mismos que ilustraron con sus hazañas! Esta diferencia consiste en que la Iglesia ha cuidado de tener siempre presente en la imaginación popular el objeto del culto, y de excitar día por día el sentimiento religioso por la enseñanza de las tradiciones.

Cuando esto no se hace valiéndose de la objetividad y de la narración, los pueblos pierden irremisiblemente su historia, sus tradiciones, su religión misma.

«Si el recuerdo de antiguas hazañas / de tus hijos inflama la mente», se afirma en el Himno Nacional mexicano. La educación cívica se funda en el culto al heroísmo y en la memorización de deberes y derechos. Pero la normatividad de las leyes nunca es tan persuasiva como la memoria de las gestas, tan profunda en el tiempo que recupera a los caudillos de la resistencia indígena: Cuauhtémoc, Caupolicán, Tupac Amaru. Expertos sin saberlo en mercadotecnia política, los artífices de la mentalidad republicana disuelven con éxito inmenso esa parte del legado colonial consistente en la devoción por los aristócratas, las fantasías de la «sangre azul» y el derecho natural. Gracias al calendario de héroes se extirpa el respeto idolátrico a la nobleza, una exigencia de la burguesía que planta en la acumulación del capital sus «reclamos de sangre».

Lo secular y la sordera ante las encíclicas

En 1816 el papa Pío VII emite su encíclica a favor de Fernando VII:

> Por cuanto hacemos en este mundo las veces del que es Dios de paz, y que al nacer para redimir al género hu-

86

mano de la tiranía de los demonios quiso anunciarla a los hombres por medio de los ángeles, hemos creído propio de las apostólicas funciones que, aunque sin merecerlo, nos competen, el excitaros más con esta carta a no perdonar esfuerzo por desarraigar y destruir completamente la funesta cizaña de alborotos y sediciones que el hombre enemigo sembró en esos países... Fácilmente lograréis tan santo objeto si cada uno de vosotros demuestra a sus ovejas con todo el celo que pueda los terribles y gravísimos perjuicios de la rebelión, si presenta las ilustres y singulares virtudes de nuestro carísimo hijo en Jesucristo, Fernando, vuestro Rey Católico, para quien nada hay más precioso que la religión y la felicidad de sus súbditos, y finalmente si les pone a la vista los sublimes e inmortales ejemplos que han dado a la Europa los españoles, que despreciaron vidas y bienes para demostrar su invencible adhesión a la fe y su lealtad hacia el soberano.

No obstante lo discutible de ese «desprecio a los bienes», la encíclica adquiere el tono irrefutable del dogma: los ejemplos de los conquistadores son «sublimes e inmortales», y nadie debe contradecirlos, y de allí la excomunión de Hidalgo y Morelos. Pero el texto no modifica las voluntades independentistas, y de hecho la desobediencia al Papa inicia la secularización, en su nivel de libertad parcial pero potente de las conciencias. El desafío a la autoridad papal vuelve sectorial por un tiempo la noción de heroísmo, porque el encono de la Iglesia católica con los insurgentes primero y luego, más intensamente, con los liberales, circunda de condenas teológicas las intenciones de los dirigentes y caudillos. ¿Cómo van a ser «héroes» los que despojan de sus bienes a la Santa Madre? ¿Cómo llamar «acrisolado» el comportamiento de los enemigos de los designios de Dios?

Cuando la necesidad de consolidar instituciones y vigorizar el proceso educativo obliga en varios países a la separación de la Iglesia católica y el Estado, se produce la gran batalla cultural y política del laicismo. Al triunfar, los liberales ratifican el papel primordial del heroísmo político por sobre los otros a la disposición: el canon de la devoción religiosa (las vidas ejemplares de obispos, párrocos abnegados, beatos, beatas, misioneros) y el canon de las contribuciones artísticas y humanísticas a las Repúblicas. En el territorio de la ejemplaridad coexisten dos formaciones: la católica y la secular, sin que en el siglo XIX se distingan en demasía los procedimientos de una y de otra. Así, el Catecismo del Padre Ripalda, texto esencial en la estructuración del pensamiento católico, halla su réplica, más libre, menos basada en la memorización de preguntas y respuestas, en los múltiples Catecismos Cívicos o Patrióticos, también atenidos a la transfiguración de las personas, en este caso por la contaminación del heroísmo. Y en cuanto a las maneras correctas, el vestuario y los procedimientos de salón y de mesa que acompañan a las virtudes, la segunda mitad del siglo XIX latinoamericano se orienta por un texto monumental, el Manuel de Carreño, que codifica todos los gestos, comentarios y actitudes requeridos en sociedad. El Carreño, no tan subrepticiamente, califica de *hazaña* la memorización y el cumplimiento de las reglas de la buena sociedad.

La transición: el llamado al heroísmo

Además del caos (sublevaciones, golpes de Estado, asesinatos) y el penoso hacerse de la estabilidad, las Repúblicas padecen el acoso de los ejemplos autopropuestos a sangre y fuego. Los dictadores y los caciques, especies complementarias, obstinados en equipararse a las monarquías en lo tocante al tiempo de permanencia en el mando, se consideran los únicos hombres libres de sus respectivos países. Así por ejemplo Antonio López de Santa Anna y Porfirio Díaz en México, Juan

Manuel de Rosas en Argentina, Rafael Carrera en Centroamérica, Gabriel García Moreno en Ecuador, Gaspar Rodríguez Francia, el Doctor Francia, en Paraguay... Los tiranos creen monopolizar las virtudes que demandan los pueblos, y le ofrecen a sus vasallos no la imitación de su actitud (imposible y prohibida), sino la cesión de las capacidades de que dispongan al ser providencial. Para certificar su hegemonía, los Hombres Fuertes se adjudican del modo más literal posible la paternidad de las comunidades a su cuidado. Si la orfandad de las Repúblicas se expresa en el desbarajuste de sus instituciones, el trámite de adopción se dará a través del orden y el progreso, de la mano dura en suma. No en balde Porfirio Díaz equipara sin más su cuerpo con el cuerpo de la República.

En las Repúblicas satisfechas, con caudillos que son monumentos escultóricos en vida y cortesanos que buscan inmortalizar las caminatas de los patriarcas, el heroísmo no tiene el menor sentido. Los héroes primigenios ya han muerto y un puñado de ellos –los Grandes Elegidos– ha recibido los debidos homenajes y el regalo de su nombre a calles y avenidas. El heroísmo fue importante, los que todavía pretendan tal condición serán «apátridas» o «facinerosos». Y en el caso de Cuba el asunto se extrema por el retraso de la independencia. Por eso José Martí en «Versos sencillos» imagina la vuelta de los héroes como preludio obligado de la autonomía de su país. Vale la pena reproducir el poema íntegro:

XLV

Sueño con claustros de mármol
donde en silencio divino
los héroes, de pie, reposan:
¡de noche, a la luz del alma,
hablo con ellos: de noche!
Están en fila; paseo
entre las filas: las manos

de piedra les beso: abren
los ojos de piedra: mueven
los labios de piedra: tiemblan
las barbas de piedra: empuñan
la espada de piedra: lloran:
¡vibra la espada en la vaina!
Mudo, les beso la mano.

¡Hablo con ellos, de noche!
Están en fila: paseo
entre las filas: lloroso
me abrazo a un mármol: «¡Oh mármol,
dicen que beben tus hijos
su propia sangre en las copas
venenosas de sus dueños!

¡Que hablan la lengua podrida
de sus rufianes! ¡Que comen
juntos el pan del oprobio,
en la mesa ensangrentada!
¡Que pierden en lengua inútil
el último fuego! ¡Dicen,
oh mármol, mármol dormido,
que ya se ha muerto tu raza!»

Échame en tierra de un bote
el héroe que abrazo: me ase
del cuello: barre la tierra
con mi cabeza: levanta
el brazo, ¡el brazo le luce
lo mismo que un sol!: resuena
la piedra: buscan el cinto
las manos blancas: ¡del soplo
saltan los hombres de mármol!

Carlyle describió las estatuas: «Horrendos solecismos de bronce.» Martí, al tanto de cómo la era del caudillo deshace las pretensiones de heroísmo, mientras procede a la explosión demográfica de estatuas, demanda de los héroes su retorno combativo. Han sido secuestrados para olvidarlos en avenidas y plazas públicas, son piezas de las efemérides. Martí les transmite la acusación: los héroes son ya piedra y mármol domesticados, cómplices de los rufianes, cenizas de una raza desaparecida. El héroe responde, humilla al personaje del poema y vuelve a la palestra. Martí confía en la resurrección del espíritu de entrega y de proezas.

Los Maestros de la Juventud

Tras la Reforma liberal (donde la hay), a la producción de héroes la renueva la búsqueda de la civilización, esa dotación de sentido de las naciones, esa Teología de la República. El argentino Domingo Faustino Sarmiento, en *Facundo*, avanza por ese camino al implantar la disyuntiva: *Civilización o barbarie*. El proceso civilizatorio exige que los grandes educadores sean también hazañosos, y eso da lugar a una especie del siglo XIX que dura hasta los años treintas o cuarentas del siglo XX: el Maestro de la Juventud, el pensador y (a su modo) el hombre de acción que, según consenso social, encarna con su esfuerzo y su talento lo mejor de los valores republicanos. Entre esos «santos laicos» se encuentran el ecuatoriano Juan Montalvo (1832-1899), el cubano Enrique José Varona (1849-1933), el peruano Manuel González Prada (1844-1918), los argentinos Manuel Ugarte (1889-1951) y José Ingenieros (1877-1925), el uruguayo José Enrique Rodó (1872-1918) y el mexicano José Vasconcelos (1881-1959). En las crisis y en las «convocatorias del Espíritu» los jóvenes aguardan de ellos los pronunciamientos éticos, el señalamiento del comportamiento justo. Son, se afirma múltiplemente, la continuidad de las proezas por vía de la defensa del Progreso.

Los revolucionarios: la legitimidad de la violencia

La Revolución Mexicana interrumpe el curso de la heroicidad ya establecida. El precursor Francisco I. Madero reúne los requisitos previsibles (familia acomodada, cultura, nobles ideales, martirio), ¿pero qué hacer con dos productos tan contradictorios del campesinado, Pancho Villa, el jefe de la División del Norte, y Emiliano Zapata, el jefe de la División del Sur? Otras grandes figuras: Venustiano Carranza, Álvaro Obregón, Plutarco Elías Calles, no captan como Villa y Zapata la admiración popular y el odio de los sectores ilustrados y acaudalados. (A Obregón y Calles se les detesta por su anticlericalismo, pero se negocia con ellos.) Villa es un bandido social que se convierte en revolucionario, con logros inconcebibles. Su biógrafo, Friedrich Katz, es categórico:

La División del Norte que Villa comandó fue probablemente el mayor ejército revolucionario que haya surgido jamás en América Latina. La revolución que Villa encabezó fue la única verdadera revolución social que jamás haya tenido lugar en la frontera misma de Estados Unidos. También fue una de las pocas revoluciones auténticas que se han producido en lo que podría describirse como una región fronteriza del continente.

Pero a Villa no se le percibe así durante la revolución. El escritor Martín Luis Guzmán, que participa brevemente del villismo, lo describe con severidad:

«Este hombre no existiría si no existiese la pistola —pensé–. La pistola no es sólo su útil de acción: es su ins-

92

trumento fundamental, el centro de su obra y su juego, la expresión constante de su personalidad íntima, su alma hecha forma. Entre la concavidad carnosa de que es capaz su índice y la concavidad rígida del gatillo hay una relación que establece el contacto de ser a ser. Al disparar, no será la pistola quien haga fuego, sino él mismo: de sus propias entrañas ha de venir la bala cuando abandona el cañón siniestro. Él y su pistola son una sola cosa. Quien cuente con lo uno contará con lo otro, y viceversa. De su pistola han nacido, y nacerán, sus amigos y sus enemigos» (de *El águila y la serpiente*).

Si Villa significa tanto para los campesinos es porque las armas les representan la garantía de sobrevivencia y de revancha, y Villa les resulta el emblema de la justicia social armada. En el mundo de la violencia agraria de América Latina, los modelos de comportamiento nunca andan inermes. Y Zapata, como se ha probado, es la figura arquetípica, el caudillo que no ambiciona el poder para sí (rechaza la tentación de la Presidencia), sino en beneficio de los suyos. Eso no lo exime de rasgos autoritarios, pero en la época nadie prescinde de ellos, y sus características le consiguen hasta hoy un sitio primordial en las clases populares y el sector indígena, y por eso surge en Chiapas el Ejército Zapatista de Liberación Nacional. Con los revolucionarios mexicanos del período 1910-1940 culmina la idea del heroísmo (del antiheroísmo, según sus enemigos), entendido como el valor de caudillos que dan forma militar e institucional a las reinvindicaciones de las masas. El impacto es considerable, y así el Estado oculte o disuelva con rapidez el contenido radical de estas movilizaciones, ya los desposeídos se han dado el lujo de enviar grandes símbolos al cielo del heroísmo. De la División del Norte y la División del Sur a la Reforma Agraria y la Expropiación Petrolera en el período del presidente Lázaro Cárdenas, se extiende el espacio político y anímico que es la primera vislumbre de la modernidad popular, o si se quiere, del abandono del universo feudal. Y en Nicaragua César Augusto Sandino es el héroe irrefutable que se enfrenta a los designios del imperialismo yanqui y es asesinado, volviéndose el ideario y el símbolo del Frente Sandinista de Liberación Nacional.

Los dictadores y la posposición temporal de los héroes

Una pesadilla recurrente en América Latina: los dictadores, los militarotes de los golpes de Estado que eliminan con saña toda tentativa de modelos de conducta ajenos a los suyos e imponen humillaciones, martirios, ejecuciones, exilios internos, destierros. El repertorio es vasto: los tiranos de Centroamérica (de Tiburcio Carías a Carlos Castillo Armas y la dinastía Somoza), Rafael Leónidas Trujillo en República Dominicana, Alfredo Stroessner en Paraguay, los golpistas argentinos, Marcos Pérez Jiménez en Venezuela, Augusto Pinochet en Chile. De ellos el arquetipo es Trujillo, y lo más inapelable de su actitud es la necesidad de ser el mayor, el inextinguible logro de su patria. El Generalísimo anuncia con su ejemplaridad los cientos de condecoraciones, el canje de Santo Domingo por Ciudad Trujillo, las placas de bronce distribuidas en la isla con la leyenda: «En esta casa, Trujillo es el jefe», las frases repetidas por los dominicanos: «Gracias a Dios y a Trujillo» y «Si Dios y Trujillo lo permiten», y algunos de sus títulos oficiales:

Meritorio Hijo de San Cristóbal; Benefactor de la Patria; el Primer y más grande de los Jefes de Estado Dominicanos; Restaurador de la Independencia Financiera; Comandante en Jefe de las Fuerzas Armadas; Padre de la Nueva Patria; Leal y Noble Campeón de la Paz Mundial; Principal Protector de la Cultura Dominicana; Máximo

Protector de la Clase Trabajadora Dominicana (citado en *Trujillo. La trágica aventura del poder personal*, de Robert D. Crassweller).

Ante certificados de nobleza dictatorial como «Restaurador de la Independencia Financiera», qué pálidos resultan los títulos de un Presidente de la República como el mexicano Miguel Alemán: «Primer Obrero de la Patria; Defensor del Campesinado.» Trujillo gobierna sangrientamente de 1930 a 1961, cuando un grupo de militares lo asesina, y en esos treinta y un años de mando irrestricto se ostenta como el único ser digno de imitación y homenaje en la República Dominicana. Y a sus opositores, además de torturas, cárceles, asesinatos, les reserva el linchamiento moral. Ningún halo de heroísmo para los subversivos, si de él depende.

Trujillo es insuperable, pero no único. En materia de ejemplaridad, dictadores y caciques coinciden: nadie más a nuestro lado, ni el poder ni el aura del conductor de pueblos se comparten.

«*From the halls of Montezuma*»

La Segunda Guerra Mundial rehabilita urbi et orbi el heroísmo y el patriotismo, los añade a la jerarquía mayor de la conducta, los sumerge en incontables tratamientos fílmicos y narrativos. Bataán, Iwo Jima, Dunquerque, Normandía, son algunos de los escenarios del renacer de la epopeya cantada ahora por ese bardo colectivo que es el cine. Y sin embargo, sólo unos años después de la apoteosis, se instala el clima ominoso de la Guerra Fría, de sospechas infatigables, la negación de todo heroísmo.

Desde 1947 la Guerra Fría y sus comités de investigación, en especial el presidido por el senador norteamericano Joe MacCarthy, ahogan en represiones y campañas de odio la existencia de modelos alternativos de conducta, ajenos a los promulgados desde los gobiernos. Es insólito el éxito del anticomunismo profesional: aun en los sectores populares se identifica la izquierda con la sordidez y las demandas de justicia social con la conspiración en las tinieblas. Los militantes de izquierda, los comunistas, suelen ser admirables en su solidaridad con los pobres y en su resistencia a la supresión de libertades, pero no se percibe su generosidad, y, además, su devoción por el camarada Stalin, Padre de los Pueblos, los sumerge en la operación mental donde el individuo es nada y el Partido y el Padrecito Stalin lo son todo. El sectarismo desdibuja hasta lo último el heroísmo.

«¡Perón, Perón, qué grande sos!»

En la era de los Hombres Fuertes, un caso especial es Juan Domingo Perón, incomprensible fuera de Argentina, y ciertamente muy difícil de ubicar, pese a la información abrumadora, que no suele favorecerlo. En su primera etapa (1945-1955), Perón es una causa, una ideología rudimentaria pero vigorosa, una razón de ser de las masas, una vertiente del sentimentalismo político, un modelo de la «argentinidad». Ernesto Sábato lo define como el demagogo capaz de convocar un sentimiento pararreligioso, porque un enorme sector de argentinos «por primera vez en su dura existencia de explotados», y gracias a Evita, «sintieron que eran personas». Esta sensación múltiple de humanidad la consigue años antes Lázaro Cárdenas en México, que hace de la Expropiación Petrolera una cruzada pluriclasista, pero Cárdenas, nacionalista revolucionario, está muy lejos del Perón descrito por Sábato: «Fue un fenómeno argentino y su sincretismo de ideas fascistas, marxistas y nacionalistas fue un producto típicamente local.»

¿Cómo se obtiene la sacralización del autoritarismo? Con

96

un discurso que incorpora demandas y fantasías, contradicciones irresolubles y afirmaciones rotundas, acciones radicales de izquierda y mentalidad derechista que llega a conceder protección, muy buena paga mediante, a centenares de nazis que huyen de la catástrofe. «Justicia social, soberanía política e independencia económica.» Las consignas se traducen malamente en la práctica, y la demagogia es el lenguaje último y primero del peronismo, que en sus dos etapas, y a costos altísimos, vivifica las clases populares, las incorpora a las vivencias de Nación como voluntad colegiada, y dinamiza el imaginario colectivo con la figura de su mujer, Eva Duarte de Perón, la actriz fracasada, la rubia seductora y elegantísima, la Intercesora laica de los descamisados que porta abrigos de mink y joyas de Cartier. «La mujer más extraordinaria y apasionante de nuestra historia», según Sábato, Evita es valerosa y electrizante, con el vigor que hace de sus padecimientos un espectáculo enardecido («¡Volveré y seré millones!»), con el don de convertir en mitología instantánea sus gestos, actitudes, voz vibrante, vestuario. En un nivel, Evita pertenece a la última etapa de las atmósferas teocráticas, un «hurto» evidente de la simbología católica, y por eso no es suficiente adjudicarle un «carisma portentoso». Es, según innumerables testimonios, la oportunidad de convertir en rezo cívico la adhesión política, de ofrecer como *apariciones* de índole mística sus presentaciones públicas. Muerta Evita, se destruye el «círculo mágico» en torno a Perón y se acrecienta o se evidencia la corrupción del régimen.

En la segunda etapa de Perón en el poder, cuando las juventudes de izquierda asumen por un tiempo el peronismo, la antigua ópera bufa que la intensidad revestía de grandeza se vuelve parodia de consecuencias trágicas, con un Perón ya envejecido, y dos personajes de cine de horror: Isabelita, su esposa, y el consejero López Rega (Tomas Eloy Martínez describe magníficamente la etapa en *La novela de Perón*). Pero el peronismo subraya el poderío de la identificación en el movimiento ya señalado por André Gide: «Estamos irremediablemente arraigados en la materia, e incluso nuestros amores más profundamente místicos requieren de la representación material. Necesitamos símbolos, movimientos, estatuas, banderas, para afianzar nuestros sentimientos» *(Diarios, 1939-1949)*. Más que un gran ejemplo, y no obstante todas sus limitaciones, Evita es una atmósfera de sustentación política en la imagen de la elegancia maternal, el estilo suntuoso como adopción de multitudes.

Los héroes deportivos: «Tirando a gol con un uppercut»

Al volverse progresivamente complejas las sociedades, y al amortiguarse el poder totalizador de la política, resultan más persuasivas las alternativas de la ejemplaridad en la cultura, el arte, los espectáculos, los deportes. Ya convencidas de la inutilidad de esperarlo todo del poder (que otorga amparos contra el temor absoluto, pero que sólo concede identidad en sentido negativo: «Soy el carente de derechos»), o ya más confiadas en sus dones imaginativos, las sociedades latinoamericanas reconocen otra versión de la personalidad irrefutable y otros modelos del comportamiento posible o imposible, pero en cualquier caso deseable. En el siglo XIX nadie hubiese considerado seriamente la elección de un actor o una actriz como modelo vital, al ser éstos «cómicos», especie del «género ínfimo». Pero el cine democratiza el espectáculo, y la explosión demográfica en las urbes le consigue usos inesperados a las artes y la literatura.

Al desplazarse la mitología de la Historia a la vida cotidiana, aparecen y con un gran papel protagónico los héroes deportivos. Conforme avanza el siglo XX, el deporte resulta ser el ámbito rijoso y apasionante donde se intenta la otra gran vía de ascenso social, esto muy especialmente en el fútbol sóccer y el boxeo. La exaltación creciente del cuerpo y su contingente de hazañas posibles alcanza a todos los deportes, y la natación, el atletismo, el voleibol y el béisbol cuentan con cientos de miles de practicantes, pero el fútbol y el boxeo concentran las apetencias y las recompensas primordiales. El boxeo, con sus abrumadores riesgos físicos, es la escenificación insuperable del *struggle for life*, el más «darwiniano» de los deportes a la disposición de los jóvenes sin recursos (ningún burgués de origen ha sido campeón mundial). En Argentina, Puerto Rico, Cuba, Colombia, México, los aficionados al boxeo se sienten estimulados para darse de golpes con la existencia, a semejanza de –cito algunos– Firpo Segura, Mantequilla Nápoles, Kid Azteca, Carlos Monzón, Macho Camacho, Julio César Chávez, Óscar de la Hoya. *Hacerla* en el boxeo es ahorrarse muchos rounds en la vida.

Desde la perspectiva de las masas, el fútbol es la zona múltiple: del gozo deportivo, de la sociedad que se distribuye partidistamente de oncena en oncena, de la oportunidad única de encumbrarse y Ser Alguien, de las emociones agolpadas y resueltas con alaridos, de la identificación con el país (la Selección Nacional) y el chovinismo muy particular (el equipo predilecto), del campo de sabiduría ilimitada al alcance de todos. En este contexto, los grandes futbolistas (Pelé, Garrincha, Maradona, Hugo Sánchez) representan los modelos perfectos del ascenso, de la maestría que no requiere de riqueza previa, del abrirse paso como si todo fuese una cancha. Y, a diferencia de la política, todos los que no han sido astros del fútbol carecen por completo de resentimiento.

La Revolución Cubana y la propuesta del Hombre Nuevo

El primero de enero de 1959, Fidel Castro y su ejército entran triunfalmente a La Habana. El dictador Fulgencio Batista ha huido, una generación latinoamericana se alboroza ante la caída de la tiranía protegida por el imperialismo norteamericano, se esperan cambios históricos y felices desarrollos utópicos. La primera etapa, pese a la severidad y la crueldad de los fusilamientos y el exilio de cientos de miles, reanima política y culturalmente a Latinoamérica. Castro es la novedad extrema, el dirigente valeroso y articulado con un proyecto coherente.

A la Revolución Cubana se le debe muy fundamentalmente otra vertiente del culto al héroe, con una izquierda ya dispuesta a creer en la épica, y con liberales entusiasmados por el perfil humanista que –sostienen sin fijarse en las contradicciones– genera la lucha armada. La revolución, se dice con énfasis variado, será el motivo de la modernidad en Latinoamérica y el Tercer Mundo, y gracias a Cuba se pone en marcha la modernidad que es revolución. Brotan los dogmas militaristas: «En la América subdesarrollada, el terreno de la lucha armada debe ser fundamentalmente el campo. Las fuerzas populares pueden ganar una guerra contra el ejército», y se reactiva la ilusión del cambio violento de las estructuras. Escribe Régis Debray, un profeta castrista de los sesentas:

> Los reveses sufridos por el movimiento revolucionario en la América Latina son verdaderamente poca cosa, si se miden por un período de tiempo que es prólogo de las grandes luchas de mañana, si se tiene en cuenta que los pocos años pasados corresponden a ese período de arrancada y reajuste que han atravesado todas las revoluciones en su principio. Más aún, lo que puede sorprender es que algunos movimientos guerrilleros hayan podido resistir tantos ensayos y errores, unos inevitables y otros no. Al decir de Fidel, eso es lo asombroso y lo que prueba hasta qué punto el movimiento es suscitado por la historia (de *Ensayos sobre América Latina*).

La modernidad no lo es tanto al ponerse en circulación, con brío, dos conceptos que se creían caducos: la Historia y los héroes. Para certificar el hecho único de la Revolución, regresa en su rol de registro incorruptible la Historia, ya compañera de viaje y casi secretaria particular de los dirigentes revolucionarios. Y para dirigir la Historia vuelve como concepto ubicuo el heroísmo, que por un tiempo supera los recelos acumulados. «Desdichado de aquel país que necesita héroes», afirma Bertolt Brecht en *Galileo*. Sí, ¿pero cómo hacer la revolución sin los dispuestos a dar su vida, los desinteresados, los puros? Contra la idea misma de que puedan existir se levantan para desacreditar a los héroes mecanismos ya institucionalizados desde 1959: el freudismo (que indaga en los casi siempre sospechosos motivos personales), el marxismo (que analiza el papel de las estructuras, más allá del conjunto de voluntades individuales), la historiografía (que devela la complejidad de los actos decisivos, y sitúa en perspectiva el papel de los seres protagónicos), la desconfianza ante la política (que declara «turbio» todo lo relacionado con el poder), e incluso la cultura popular, que disemina la condición paródica de los hechos ejemplares al multiplicar los superhéroes, de Superman y Batman a los Cuatro Fantásticos y Blade.

Pero durante un tiempo el movimiento de la revolución es eléctrico, y no se ponen en duda las alucinaciones del fetichismo. Un espacio de crecimiento, reflexión, voluntarismo y creación colectiva disciplinada se abre a decenas de miles en toda Latinoamérica que repiten a diario el axioma: «El deber de un revolucionario es hacer la revolución.»

En el centro, Fidel Castro y Ernesto Che Guevara. Castro es el organizador supremo, el que suscita adhesiones en el mundo entero, el dialéctico de la mano dura, el «panal de rica miel» del turismo revolucionario, el que en unos cuantos años implanta el socialismo, desafía al gobierno norteamericano y pacta con la URSS. Su control de Cuba es absoluto, lo mismo impone «Patria o muerte» que «Socialismo o muerte», y la izquierda le da la razón cuando supedita las libertades pequeñoburguesas a la defensa de la isla acosada. Por su parte, el imperialismo norteamericano hace honor a su nombre: reglamenta el bloqueo económico, planea regularmente el asesinato de Fidel Castro, hostiga a los que viajan a Cuba, reorganiza la Guerra Fría en América Latina. Y en el empeño de dar un sustento teórico a los revolucionarios, especie renacida, el Che Guevara emite su teoría de la humanidad que se levanta y se echa a andar: *El socialismo y el hombre nuevo en Cuba*. ¡El Hombre Nuevo! Vuelve por vía del dogma la utopía a la que no se atrevió la Revolución Mexicana, el viejo proyecto de San Pablo. Antes, lo usual era exhortar al patriotismo, el cumplimiento de las leyes, el comportamiento revolucionario o progresista, pero el Hombre Nuevo supone un logro psicológico regimentado desde arriba. Carente de egoísmos burgueses, entregado al ideal socialista sin esperar recompensa, el Hombre Nuevo aprende de los errores y del castigo de los errores. La tesis del Hombre Nuevo no alcanza a constituirse en esbozo de realidad; es la propuesta legendaria que se enarbola en la represión de los «hombres a la vieja usanza capitalista».

Entre 1970 y 1975, se entrecruzan las ilusiones deshechas sangrientamente y los reveses que notifican del ánimo contrarrevolucionario de las masas, y para los que no bastan consolaciones de almanaque: «Para un revolucionario el fracaso es un trampolín. Teóricamente es más rico que el triunfo: acumula una experiencia y un saber» (Régis Debray). El proyecto ambiciosísimo de una generación de revolucionarios latinoamericanos, decididos a «trastocar los paradigmas», es destruido sin consecuencias visibles. Pero antes se cree, al punto del sacrificio cruento, en la reconstrucción del ser latinoamericano, y en regenerar los países a mano armada. Con las guerrillas de Marighela en Brasil, de Douglas Bravo en Venezuela, del M-19 en Colombia, de los Montoneros en Argentina, de los Tupamaros en Uruguay, de Yon Sosa en Guatemala, simpatizan estudiantes, profesionales jóvenes, algunos curas, algunos obreros, bastantes campesinos, alineados psicológicamente con la consigna del Che Guevara («Crear dos, tres, muchos Vietnams»), convencidos de las tesis de Régis Debray sobre el «foco revolucionario», ansiosos de *la experiencia por antonomasia,* la revolución. Lo que no consiguió el internacionalismo proletario de los soviéticos, lo obtiene la intransigencia del castrismo: la fe en el cambio violento de estructuras, que requiere del heroísmo de los militantes.

El Che muere aislado en Bolivia, sus seguidores perecen en Guatemala, Colombia, Nicaragua, El Salvador, México, torturados por la policía, delatados por campesinos hartos de las tropelías de los soldados, aplastados por fuerzas muy superiores, sorprendidos en el asalto a comercios o a palacios municipales, victimados por sus propios compañeros, como le sucede en 1975 al poeta comunista Roque Dalton en El Salvador. El Ejército Revolucionario del Pueblo (ERP) justifica el asesinato de un revolucionario probado, y el alegato de su vocero, Joaquín Villalobos, es quizás el epitafio nítido de la utopía que se lumpenizó:

La ejecución de Dalton desencadenó una rabiosa campaña de parte de la «intelectualidad» pequeñoburguesa, que poco a poco se iba convirtiendo en un trabajo tendiente a convertir a Dalton en una bandera política, tras de la cual se colocaron las más rastreras y oscuras posiciones de los reaccionarios latinoamericanos. Estos señores, elaborando sus juicios, sus ensayos y sus poemas, desde la comodidad de sus exilios parásitos; desde la banalidad de su vida existencialista o desde posiciones academicistas, han visto en Dalton la posibilidad no sólo de justificarse a sí mismos como la intelectualidad pequeñoburguesa que se considera padre y madre de la izquierda revolucionaria. Convirtiendo a

Dalton en un «revolucionario» de «grandes cualidades», faltando a la verdad sobre su papel en el proceso revolucionario salvadoreño y sublimando su efímera militancia, piensan colocarse ellos como sector a través de la bandera de Dalton poeta y escritor, ya que esto vuelve importante su muerte y lo convierte en héroe, cuando la verdad es que fue víctima y hechor de su propia muerte.

Fue la inmadurez de nuestra organización –y no nos da pena reconocerlo, porque no actuamos alrededor de nuestras individualidades personales, sino de las necesidades del proceso revolucionario– la que nos llevó a cometer el error de ejecutar a Dalton y, lo que es peor, haberlo convertido en bandera de los inconsecuentes y de los burócratas, intelectualistas pequeñoburgueses.

Así terminan o se dispersan los «hombres nuevos». Y sin embargo el heroísmo del Che se aísla y se proyecta internacionalmente como el ejemplo a seguir o, las más de las veces, como el culto a la proeza ya desvinculado de las luchas específicas.

Allende: «Las alamedas del porvenir»

Si en Perú Sendero Luminoso representa la degradación homicida de la voluntad revolucionaria, la izquierda en otras partes dispone de representantes notables. Entre ellos, muy destacadamente, el Presidente de Chile Salvador Allende, que muere el 11 de septiembre de 1973 defendiendo el Palacio de la Moneda, atacado por las fuerzas desleales al mando del general Augusto Pinochet, golpista «obstinado en salvar a Chile de la lepra marxista». Allende, socialista convencido, reivindica la noción de heroísmo en el sentido tradicional, de entrega de la vida a la Patria. Su imagen con casco y metralleta es la representación del hacedor de la proeza clásica: infundirle al sacrificio la dimensión de la generosidad.

La caída de Allende y la brutalidad de los regímenes militares en Argentina, Uruguay y Chile envían al exilio a cientos de miles. Por su parte, no todos los dictadores se jactan de representar la ley porque les da la gana. Pinochet, por ejemplo, presume de ser el salvador de su Patria en el sentido más estricto, y luego de su gran derrota política se dirige con acento patético a sus partidarios: «Hemos perdido el referéndum. Pero ya en otra ocasión un pueblo, al darle a elegir entre Jesucristo y Barrabás, eligió a Barrabás.» El dictador sanguinario reconoce con humildad su semejanza con el crucificado.

Allende es en primera y última instancia un héroe civil. Y el fracaso de las guerrillas y el desgarramiento de la «guerra sucia» despojan de su sentido redentorista al heroísmo. En la Selva Lacandona el subcomandante Marcos, al frente del EZLN, ya no se ostenta como el guía de los redimibles sino como la opción que incluye, porque las circunstancias lo exigen, el sentido del humor y, entre otras innovaciones, la reivindicación de los derechos de gays y lesbianas. El comportamiento es valeroso, pero el adjetivo conveniente ya no es *heroico*.

Los escritores: el alma de los pueblos

Entre los elementos constitutivos del orgullo colectivo, la identidad (sea ésta lo que fuese) y la sensación de reconocerse en algo hecho para el hispanohablante (con todo lo limitativo del asunto), están los grandes escritores. Si los poetas modernistas de fines del siglo XIX y principios del siglo XX son, casi literalmente, guías de los pueblos, en la primera mitad del siglo XX latinoamericano los poetas siguen presidiendo el cultivo de la sensibilidad, lo que representan ma-

105

yoritariamente los narradores en la segunda mitad del siglo. Los escritores, por escasamente leídos que sean, resultan definitivos en momentos cruciales de Iberoamérica, cuando a un puñado de literatos e intelectuales se les concede una importancia suprema. («Me gustaría leerlo, pero saber que ya existe me hace sentir que lo conozco perfectamente.»)

Si el resplandor de Darío, Martí, Nervo y otros modernistas es incomparable, es muy vasto el deslumbramiento en los años treintas y cuarentas ante *Tala* y *Desolación,* de Gabriela Mistral; *Zozobra,* de Ramón López Velarde; *Veinte poemas de amor y una canción desesperada* y *Residencia en la tierra,* de Pablo Neruda; *Los heraldos negros, Poemas humanos, Trilce* y *España, aparta de mí este cáliz,* de César Vallejo; *Altazor,* de Vicente Huidobro; *Sóngoro Cosongo* y *Cantos para soldados y sones para turistas,* de Nicolás Guillén; *El Aleph* y *Ficciones,* de Jorge Luis Borges; los poemas de Oliverio Girondo, Carlos Pellicer, Jorge Carrera Andrade, Xavier Villaurrutia, José Gorostiza, Emilio Ballagas. Son logros y anticipos de la sensibilidad nueva que, aun si se asimila fragmentariamente, produce un lenguaje literario y social más rico, más libre, ya en vías de emancipación del formalismo que ha sido la horma latinoamericana. Y sus autores, al «acaudillar» el idioma, reciben tratamiento de héroes.

Los poetas, en algo equivalente a la rotación de espejos, celebran a los héroes desde una perspectiva distinta a la oficial. Más que los fundadores de las naciones, para algunos grandes poetas los héroes son el aire mismo de la sociedad, la materia primordial de los sueños. Así, Pablo Neruda celebra hasta el límite, con el paisaje de la resurrección del heroísmo en la Guerra Civil española y en la Segunda Guerra Mundial, al Libertador en *Tercera residencia* (1947):

Padre nuestro que estás en la tierra, en el agua, en el aire
de toda nuestra extensa latitud silenciosa,
todo lleva tu nombre, padre, en nuestra morada:

tu apellido la caña levanta a la dulzura,
el estaño bolívar tiene un fulgor bolívar,
el pájaro bolívar sobre el volcán bolívar,
la patata, el salitre, las sombras especiales,
las corrientes, las vetas de fosfórica piedra,
todo lo nuestro viene de tu vida apagada,
tu herencia fueron ríos, llanuras, campanarios,
tu herencia es el pan nuestro de cada día, padre.

De «Un canto para Bolívar»

El idioma de la exaltación es el incentivo del orgullo nacional. Esto también lo experimenta el poeta mexicano Carlos Pellicer, que en *Subordinaciones* (1949) exalta al caudillo insurgente José María Morelos:

Gritar Morelos y sentir la flama.
Gritar Morelos y lanzar la piedra.
Gritar Morelos y escalofriar la espada...
Gritar Morelos
es escuchar la gloria y sentir el perdón.

De «Tempestad y calma en honor de Morelos»

Antes de que el neoliberalismo condicione todo a la lógica del mercado, unos cuantos narradores son elegidos como paladines de sus lectores, que los memorizan, coleccionan sus anécdotas, nunca se decepcionan gravemente ante las flaquezas de sus «semidioses». Borges, Lezama Lima, Onetti, Paz, Guimaraes son objeto, entre otros, de esta devoción. El heroísmo intelectual y literario tiene partidarios y causas evidentes.

Las mujeres: los modelos antipatriarcales

En materia de renovación del comportamiento, quizás el movimiento más trascendente sea el impulsado por mujeres excepcionales y su lucha por reinvindicaciones de toda índole. Hasta los años sesentas del siglo XX, al machismo omnímodo se enfrentan unas cuantas figuras, activistas anónimas la mayoría, y algunas escritoras o pintoras. Gabriela Mistral, Frida Kahlo, María Luisa Bombal, Juana de Ibarbourou, Alfonsina Storni, Berta Singerman, Victoria y Silvina Ocampo, Nellie Campobello, Lidia Cabrera, María Izquierdo, Tina Modotti, Rosario Castellanos, Blanca Varela: he aquí los nombres más citados, las obras más revisadas por generaciones de mujeres hartas de las jactancias y las humillaciones del patriarcado, y sin capacidad de adelantos políticos pese a la tenacidad y el esfuerzo de las sufragistas. En cuanto a la política, la mayoría de las heroínas (de las así reconocidas en América Latina) lo son por exhortar a sus hijos a la lucha y por acciones excepcionales «como de hombre». Los historiadores apenas se detienen en las combatientes.

Con más rapidez de lo previsto, se ganan las batallas culturales y se pierden luchas legales básicas, como la despenalización del aborto. Pero los adelantos son perceptibles, y así las norteamericanas jóvenes y liberadas sean el modelo, la imitación no evita la espontaneidad de los cambios. El comportamiento femenino en las ciudades se modifica extraordinariamente, y en las zonas rurales, aunque con mucho menor énfasis, ya se advierte de modo conspicuo. (Basta ver el cambio en las mujeres del Ejército Zapatista de Liberación Nacional, dotadas de un discurso ya distinto al de los hombres.) El proceso de las tesis feministas es dinámico y no depende de dirigentes específicas, sino de las enseñanzas del movimiento en su conjunto. La derecha intenta en vano oponerse a las tesis y el vocabulario de las feministas, pero *género*, digamos, es término ya aclimatado. El sectarismo de los inicios se flexibiliza por el vigor de planteamientos más incluyentes, y la racionalidad de las tesis impregna todos los órdenes de la sociedad, sin omitir a la derecha. Se acepten o no feministas, las mujeres de América Latina le deben a esta tendencia parte de su lenguaje, un buen número de sus actitudes y el meollo de su reflexión de género. No hay heroísmo, y el término se consideraría inapropiado, pero las batallas culturales son extraordinarias.

El post-heroísmo y la generación del High-Tech

La computarización planetaria y las realidades virtuales complementan el efecto causado por la caída del Muro de Berlín en 1989, el derrumbe que no excluye corrupción extrema y hambruna en la URSS (que vuelve a ser Rusia), la disolución del socialismo real y la emergencia del neoliberalismo, la exigencia incesante de privilegios para la minoría ultracapitalista. Se juzgan delirantes, y con muy buenas razones, las utopías armadas y se califica a los héroes de especie en extinción. Es la hora del post-heroísmo, la mercadotecnia política, los cursos de *management*, la gloria de la privatización y la Generación del High-Tech. (La Generación X, que describe a jóvenes sin sentido del porvenir y enorme fastidio ante el presente, no consigue implantarse en América Latina. Tanta desilusión vital no convence en países donde la economía, no el *tedium vitae*, suele responsabilizarse de las frustraciones.)

El neoliberalismo, o como quiera llamarse, emite su programa de «reconversión mental». En México, el presidente Carlos Salinas de Gortari hace del Japón la nación modelo de sus discursos, por su psicología capaz de ver en la empresa la segunda patria. Salinas busca deshacer la «mentalidad improductiva» del mexicano, el que se representa típicamente como un indito en cuclillas, con el sombrerote y el sarape

109

junto al nopal. «Mientras seas nativo nunca progresarás.» (Es inútil decir que a esa imagen nadie se atuvo nunca, y que «la flojera del mexicano» más bien se llama desempleo.) En pos del diseño de la mentalidad competitiva, en toda América Latina se toman del «eficientismo» norteamericano consignas, técnicas, cursos de adiestramiento, esquemas de conducta y, muy especialmente, la interminable literatura del Self-Help. El post-heroísmo memoriza decálogos, fórmulas de convencimiento, técnicas del ascenso.

Si el desempleo es la cesación de esa pertenencia al mundo que es la vida productiva, el aprendizaje del idioma de la eficacia es la renuncia a la imaginación. Todo de pronto se vuelve informática, Recursos Humanos, mercadotecnia, costo integral del financiamiento, cursos, congresos donde se aprende a influir en los demás. El culto al liderazgo abruma y el dogma no admite disidencia: «Si la nación va a subsistir, será bajo la forma de una empresa.» Cualquiera, incluso la vendedora ambulante, afirman los filósofos de la iniciativa privada, puede ser micro o macroempresario. Se trastorna la orientación vocacional de la clase dirigente. Si en la política el poder ha ido de los abogados a los economistas, en la etapa ascendente del neoliberalismo las carreras de los habitantes de la cumbre son, cada vez más, administración de empresas, Planeación Estratégica, Desarrollo Económico, Alta Dirección de Empresas, Ciencias Computacionales, ingeniería financiera. La supervivencia de los más aptos se decide en los posgrados, y el reconocimiento de un segundo idioma (el español) es un valor agregado.

Las palabras clave que el neoliberalismo disemina en América Latina trazan el retrato del «modelo del siglo XXI»: globalización, transfrontera, retroalimentación o *feedback*, inteligencia emocional, nichos especulativos, filosofía de negocios («Los latinos somos muy cortoplacistas y dejamos todo para mañana. Para poder ser campeón hay que sentirte tal. Hay que quitar el pensamiento ratonero»). Se entra en

110

política al mundillo de los *Growth Rating Points*, y el rating se vuelve la medida del mundo. Todo resulta fórmula elemental y, digamos, el crecimiento de la empresa exige administrar las «íes» (ideas, intuición, invención) en un mar de «ces» (cambio, complejidad, contradicción). La puerilización indetenible del pensamiento empresarial es parte de la concentración monopólica de los modelos a seguir.

Pero el neoliberalismo fracasa rotundamente en sus planes de crecimiento, porque sus financieros y políticos son muy ineptos y suelen ser corruptos, porque el desempleo masivo impide el desarrollo equilibrado de los países, y porque la globalización acrecienta la miseria y la pobreza. Del territorio aún restringido de la sociedad civil y las Organizaciones No Gubernamentales se desprenden algunas imágenes del comportamiento solidario y crítico, que si no se generaliza como es debido, sí sostiene la idea de la sociedad distinta, más imaginativa y justa. Si el «post-heroísmo», en el sentido de negación absoluta de la generosidad comunitaria, se ha impuesto con furia, aún no dispersa ni aniquila el sentido de responsabilidad hacia los demás, y mientras esto no suceda, a falta de héroes tendremos ciudadanos que ejercen como tales, a fin de cuentas lo fundamental.

«ÍNCLITAS RAZAS UBÉRRIMAS»

LOS TRABAJOS Y LOS MITOS DE LA CULTURA IBEROAMERICANA

La pregunta: «¿Hay tal cosa como la unidad de Iberoamérica?» parece un tanto impertinente. Sí, desde luego, y si no queremos tomar en cuenta los grandes procesos formativos de la lengua y las similitudes históricas, basta sumar algunos elementos: el aspecto de las ciudades (bellezas naturales y logros arquitectónicos aparte) uniformadas por las prisas de la rentabilidad, las opresiones de la deuda externa, la concentración monstruosa del ingreso, las asimilaciones incesantes de la americanización, los efectos de la economía neoliberal, el papel rector del analfabetismo funcional, los resultados más bien fatídicos de la moda en arquitectura y artes plásticas, las zonas del arrasamiento ecológico y los niveles de contaminación causados por el capitalismo salvaje, el auge del desempleo y el subempleo, el fracaso de la educación pública y, para el caso, de la educación privada, que sin embargo se compensa por el éxito de sus egresados... Del lado opuesto, se dan procesos culturales a fin de cuentas simultáneos, se desarrolla la sociedad civil (con los derechos humanos en primer plano), hay una genuina internacionalización de la cultura y se liquida gradualmente el sentimiento de lo «periférico» en artes y letras.

Pero las dudas no se extinguen y uno recuerda a Borges en su texto sobre Pedro Henríquez Ureña:

Alguna vez (P. H. U.) hubo de oponer las dos Américas –la sajona y la hispánica– al viejo mundo; otra, las repúblicas americanas y España a la República del Norte. No sé si tales unidades existen en el día de hoy; no sé si hay muchos argentinos o mexicanos que sean americanos también, más allá de la firma de una declaración o de las efusiones de un brindis. Dos acontecimientos históricos han contribuido, sin embargo, a fortalecer nuestro sentimiento de una unidad racial o continental. Primero las emociones de la guerra española, que afiliaron a todos los americanos a uno u otro bando; después, la larga dictadura que demostró, contra las vanidades locales, que no estamos eximidos, por cierto, del doloroso y común destino de América. Pese a lo anterior el sentimiento de americanidad o de hispanoamericanidad sigue siendo esporádico. Basta que una conversación incluya los nombres de Lugones y Herrera o de Lugones y Darío para que se revele inmediatamente la enfática nacionalidad de cada interlocutor.

Prólogo a *Obra crítica* de Pedro Henríquez Ureña.

(F.C.E., 1960)

El debate está abierto: ¿cómo se vinculan o se desvinculan las culturas nacionales y la cultura iberoamericana? ¿Dónde radica «lo latinoamericano»?

Lo que separa y lo que acerca

Ínclitas razas ubérrimas.
Sangre de Hispania fecunda.
¡Salud!

RUBÉN DARÍO

No tan paradójicamente, la unidad hispanoamericana se inicia con la disolución formal del gran lazo cohesionador: la

114

corona de España. En el siglo XIX independizarse de España es tarea que lleva a la invención de las nacionalidades, estrategia que se presenta como elección del Espíritu, tributo a la geografía y la historia, decisión de la comunidad de los semejantes.

Además de las peculiaridades de cada virreinato y de la perseverancia (menospreciada y perseguida) de las culturas indígenas en muchos de ellos, se mantienen las grandes instituciones formativas: el idioma español, la religión católica, la Familia Tribal, la metamorfosis incesante de las costumbres hispánicas, los procesos de consolidación histórica, el autoritarismo y los reflejos condicionados ante la autoridad.

A los países de Iberoamérica los va uniendo el culto al Progreso, el otro nombre de la azarosa construcción de la estabilidad, que pasa por el desarrollo educativo, las doctrinas filosóficas (el positivismo, muy señaladamente), las Constituciones de las Repúblicas, los códigos civiles y penales, la disminución de los aislamientos geográficos, la exasperación ante lo indígena (considerado «el peso muerto»), la mitificación del mestizaje, el afianzamiento de los prejuicios raciales, las corrientes migratorias, el frágil equilibrio entre lo que se quiere y lo que se tiene. Y si el avance de los países es desigual, las semejanzas son extraordinarias.

En el siglo XIX, en sociedades donde la alfabetización es comparativamente un privilegio, el respeto devocional por la letra escrita es enorme, y las literaturas responden a tres exigencias: el ejercicio creativo del idioma, el afán de desenvolvimiento espiritual pese a las condiciones adversas y, más programáticamente, la comunicación interna de las sociedades. Un sistema endeble de bibliotecas públicas, una red precaria de librerías concentrada en las capitales, y unas cuantas (y débiles) casas editoriales a la disposición, delimitan al público lector, y las excepciones se dan por cuenta de la poesía y de algunas narraciones como *María* (1844), la novela del colombiano Jorge Isaacs, cuyas descripciones de la naturaleza y de los sentimientos, del alma del paisaje y del paisaje del

115

alma, alborozan en toda Hispanoamérica, edición tras edición. Pero es en la poesía donde se funda el culto a la palabra. Lo poético es la medida de las artes y las humanidades, y es el calificativo último para juzgar la excelsitud: «Una pintura poética, una sinfonía poética, un gesto poético, un paisaje poético.» Y quien no comparte tal valoración, se exime en el siglo XIX y en las primeras décadas del siglo XX de los prestigios íntimos y públicos del Espíritu.

«No moriré del todo, amiga mía»

A los poetas se les reconoce su genio para hacer del lenguaje una profecía en sí misma, y convertir la memorización puntual de sus textos en vislumbramiento que modifica la percepción social y espiritual. Ellos se benefician del consenso que los vuelve «legisladores no reconocidos de la humanidad», según Shelley. Rubén Darío (1867-1916) es enfático: «Torres de Dios, poetas, pararrayos celestes.» Manuel Gutiérrez Nájera (1859-1895) ve en el género el recinto por excelencia de los espíritus:

No moriré del todo, amiga mía.
De mi ondulante espíritu disperso,
algo en la urna diáfana del verso
piadosa guardará la poesía.

Y Salvador Díaz Mirón (1853-1928) es más que enfático:

La poesía, pugna sagrada,
radioso arcángel de ardiente espada,
tres heroísmos en conjunción.
El heroísmo del sentimiento,
el heroísmo del pensamiento,
el heroísmo de la expresión.

Sin necesidad de teorizar, los poetas lo saben: toda comunidad necesita de sensaciones épicas, las proporcionadas a fines del siglo XX por el deporte, y a fines del siglo XIX y principios del siglo XX, tan increíble como se oiga, las otorgadas por la poesía. La raza vive en la lengua, afirma Unamuno. Escúchese al Darío de «Marcha triunfal»:

Los claros clarines de pronto levantan sus sones,
su canto sonoro,
su cálido coro,
que envuelve en su trueno de oro
la angustia soberbia de los pabellones.
Él dice la lucha, la herida venganza,
las ásperas crines,
los rudos penachos, la pica, la lanza,
la sangre que riega de heroicos carmines
la tierra;
de negros mastines
que azuza la muerte, que rige la guerra.
Los áureos sonidos
anuncian el advenimiento
triunfal de la gloria;
dejando el picacho que guarda sus nidos,
tendiendo sus alas enormes al viento,
los cóndores llegan. ¡Llegó la victoria!

¿Cómo reconstruir la experiencia de las multitudes que al oír los versos de Darío se sienten habitando –el verbo es indispensable– un idioma nunca antes oído y ejercido con tal brío y destreza? Ciudadanía es acceso a la poética. Si Wittgenstein tiene razón y «los límites de mi lenguaje son los límites de mi mundo», los poetas, al ampliar el lenguaje, amplían considerablemente la visión del mundo de sus lectores y discípulos (cada uno de los grandes poemas del canon instantáneo de la época equivale a un magisterio). Y esta resurrección o recreación del lenguaje es sueño compulsivo de un porvenir desbordante en sensaciones a la altura de los poemas. Es inesperada la disidencia de los poetas. Esta vanguardia de la forma lleva al límite la sensibilidad que no reconoce la sociedad patriarcal de militarotes o hacendados, azorada ante el despliegue de la sensualidad. Todo irrumpe: la ternura masculina, el festejo de la contradicción (a la usanza de Walt Whitman: «¿Me contradigo? Bien, me contradigo»), la salvación por la lectura y por la Palabra, la descripción alucinada de las formas del cuerpo femenino. Al ensancharse el ámbito de la sensibilidad, se impulsa hasta el paroxismo la experiencia de la vida como agudización de los sentidos. Escribe Rubén Darío en uno de sus poemas célebres, «Lo fatal»:

Dichoso el árbol que es apenas sensitivo,
y más la piedra dura, porque ésa ya no siente,
pues no hay dolor más grande que el dolor de ser vivo,
ni mayor pesadumbre que la vida consciente.

Y un modernista tardío, Enrique González Martínez (1871-1952), en su poema «Cuando sepas hallar una sonrisa», lleva al extremo la espiritualidad que combate el materialismo circundante:

Sacudirá tu amor el polvo infecto
que macula el blancor de la azucena,
bendecirás las márgenes de arena
y adorarás el vuelo del insecto;
y besarás el garfio del espino
y el sedeño ropaje de las dalias...
Y quitarás piadoso tus sandalias
por no herir a las piedras del camino.

De *Los senderos ocultos, 1909-1911*

«Leo para adelantar la realidad que me interesa»

A los lectores los animan las causas generales de la cultura occidental (el gran fetiche), la necesidad de resistir el salvajismo circundante, el orgullo urbano y las vanidades regionales y locales. Buscan identificarse con el impulso lírico y con las atmósferas noveladas de la sociedad, o se asoman a su condición simbólica a través de los personajes más elocuentes de la narrativa. Con descripciones crudelísimas, cantos patrióticos o anotaciones costumbristas, cada novelista, en el panorama que va de *El matadero* (1840), del argentino Esteban Echeverría, a *Los bandidos de Río Frío* (1888), del mexicano Manuel Payno, sirve al desarrollo nacionalista, a las discusiones doctrinarias, al deleite de saberse inmersos en una sociedad variada y compleja. Y esto se advierte también en el ensayo histórico, género al que sus autores y lectores conceden la mayor importancia. En *Facundo (Vida de Juan Facundo Quiroga: Civilización y barbarie)*, de 1844, Domingo Sarmiento le da forma memorable al gran dilema de América Latina: persistir en los gobiernos de mano fuerte, o atenerse a modelos europeos, lo que, se ha repetido ya, significa en su momento la imposición de un orden que mezcla sin rubor civilización y barbarie. A esto se le añade la disyuntiva de Eugenio María de Hostos: civilización o muerte. (Se muere para acreditar el futuro donde el uso de las pasiones sea incruento.) Civilizarse, y pertenecer espiritualmente a las metrópolis, o dejarle a lo atávico la propiedad de los temperamentos. Y a la civilización se llega exaltando la pareja, denunciando la crueldad, exhibiendo las dificultades para alcanzar la calma en medios convulsos (la literatura costumbrista). A la distancia, es casi imposible reconstruir lo que libros de escaso tiraje representan en sociedades que equilibran el analfabetismo real y funcional (abrumador) con el culto a la palabra. (Cada lector constante es un espacio hurtado a las tradiciones oscurantistas.)

119

Dicho sea de paso, por razones de «incompatibilidad de imperios» es mínimo o nulo por un período prolongado el registro de los brasileños. Por eso, al gran narrador iberoamericano del siglo XIX, Machado de Assis, el autor de *Don Casmurro, Memorias póstumas de Blas Cubas* y *Quincas Borbas*, no se le conoce prácticamente en Hispanoamérica, y no es sino en 1951 cuando lo publica el Fondo de Cultura Económica.

«Comprendo que tus besos jamás han de ser míos»

Si la prédica de la civilización se filtra lentamente en comportamientos habituados al autoritarismo virreinal, lo que arraiga de inmediato es la alabanza del amor-pasión, tal y como se da en *María*, o en la mayoría de los poemas. La poesía romántica va al límite, pero, entre opulencias formales, los modernistas también se entregan a la religión del amor. Si la política divide, el romance (el ardor laico por las vírgenes, la secularización de la pareja) une subterráneamente las sociedades, y alcanza en privado a los ámbitos conservadores, que –en público– no hallan provocación más intolerable que el frenesí amatorio. En pos de espacio social para la subjetividad, relatos y poemas dotan de lenguaje a una psicología distinta, que se va emancipando de las ideas fijas de Lo Respetable y Lo Bien Visto.

El proceso iberoamericano más significativo del siglo XIX, la secularización, se da en forma distinta en cada país, pero los resultados suelen coincidir. Al principio, el proceso del laicismo se concentra en las capitales, o en el tránsito de la provincia a la gran ciudad. Luego, la urgencia de las élites por no separarse demasiado de los ritmos de las metrópolis, y la derrota sucesiva de las posiciones más conservadoras (en un proceso conducido por el anticlericalismo, pero del que no se exime la moda en el vestir), implantan paulatinamente

120

la secularización, con el apoyo de la narrativa, la poesía amatoria, las Constituciones de la República, el periodismo liberal, las batallas por la libertad de conciencia y de religión, las
presencias jurídicas y políticas de la revolución en Estados
Unidos y la Revolución Francesa, el liberalismo en la penín-
sula ibérica, la lectura de los enciclopedistas y de la novela de
folletín, la prédica anarquista en los gremios, los primeros
vislumbres de emancipación femenina. El hervor teocrático
retiene fortalezas del hábito y del prejuicio, pero ya no domina los nuevos comportamientos.

En Iberoamérica, el romanticismo aporta una mitología
que todavía perdura: la correspondiente a la sinceridad, «el
corazón en la mano», la noción de los poemas como depósitos de la sensibilidad exasperada, con sus ráfagas de transgre-
sión e incluso de ateísmo. El que o la que se conmueve hasta
lo último, reconoce complacido la existencia de un patrimonio: la sensibilidad. Los seres sensibles viven a fondo, se des-
preocupan del mañana (por lo menos mientras son jóvenes),
y se satisfacen con las vivencias de lo sublime que equivalen a
una doble vida. Al transgredir sin miramientos los conven-
cionalismos, ansían la intensidad verbal que le haga justicia al
ardor psíquico, elevan a la amada al sitial divino, y están seguros de que, al llevarlas al límite, inventan las pasiones. Al
atender a los románticos, los lectores indagan queriendo o no
por los abismos ígneos en su propio ser. En 1874, antes de
suicidarse a los veinticuatro años de edad, el mexicano Manuel Acuña toma muy en serio su «ventaja anímica» y escribe
su legendario poema «Nocturno», al que se le agrega siempre
el nombre de la musa inspiradora, Rosario (de la Peña):

> Pues bien yo necesito decirte que te quiero,
> decirte que te adoro con todo el corazón,
> que es mucho lo que sufro, que es mucho lo que lloro,
> que ya no puedo tanto, y al grito que te imploro,
> te imploro y hablo en nombre de mi última ilusión.

121

Yo quiero que tú sepas que ya hace muchos días
estoy enfermo y pálido de tanto no dormir,
que ya se han muerto todas las esperanzas mías,
que están mis noches negras, tan negras y sombrías
que ya no sé ni dónde se alza el porvenir.

De noche, cuando pongo mis sienes en la almohada,
y hacia otro mundo quiero mi espíritu volver,
camino mucho, mucho, y al fin de la jornada
las formas de mi madre se pierden en la nada
y tú de nuevo vuelves radiante a aparecer.

Y en los versos finales se aclara el estremecimiento de
quien hace de un poema y un suicidio su «plataforma de eternidad»:

Ésa era mi esperanza... mas ya que a sus fulgores
se opone el hondo abismo que existe entre los dos,
¡adiós por la vez última, amor de mis amores;
la luz de las tinieblas, la esencia de mis flores;
mi lira de poeta, mi juventud, adiós!

¿Cómo será de avasallante el amor-pasión que disuelve el
«incesto» sentimental? Acuña invita al desarreglo de los sentidos, lo que no aceptan como sueño rimado y niegan como
posibilidad estricta los sedientos de la rigidez que imita la
respetabilidad del virreinato.

El modernismo: «Yo soy aquel que ayer nomás decía»

A fines del siglo XIX, se extiende el modernismo hispanoamericano en relatos, crónicas y, destacadamente, poemas.
El modernismo remodela en buena medida la sensibilidad
colectiva y es un modo radicalmente distinto de escuchar,

leer y vivir el idioma. Si el eje del movimiento es Rubén Darío, también es muy alta la calidad de los cubanos José Martí y Julián del Casal, los peruanos José María Eguren y José Santos Chocano, el boliviano Ricardo Jaimes Freyre, el uruguayo Julio Herrera y Reissig, los mexicanos Manuel Gutiérrez Nájera, Salvador Díaz Mirón y Amado Nervo, el argentino Leopoldo Lugones. La influencia de los modernistas trasciende el círculo de lectores habituales de poesía (muy vasto, de cualquier manera).

En Lima, Buenos Aires, Santiago de Chile, Guatemala o Ciudad de México, también los analfabetos declaman:

La princesa está triste
¿qué tendrá la princesa?
Los suspiros se escapan
de su boca de fresa,
que ha perdido la risa,
que ha perdido el color.
La princesa está triste
y en un vaso olvidado
se desmaya una flor.

A donde va, Darío congrega multitudes reverenciales, que ven en él, literalmente, al príncipe de la poesía, el poseedor de dones taumatúrgicos. Y no es menor el éxito –la transfiguración de la obra poética en estilo reflexivo– de Amado Nervo, cuya poesía alcanza por igual a gobernantes y amas de casa, a liberales y conservadores, deudores todos de su sensibilidad amatoria y de su filosofía-de-la-vida:

Muy cerca de mi ocaso
yo te bendigo, Vida,
porque nunca me diste
ni esperanza fallida
ni dolores injustos ni pena inmerecida.

123

Porque veo al final de mi rudo camino
que yo fui el arquitecto de mi propio destino...

La gratitud hacia Nervo ignora las fronteras nacionales. *Vida, nada me debes. Vida, estamos en paz.* Muere en 1919, siendo cónsul de México en Montevideo, y su velorio, el más largo imaginable, dura seis meses. El gobierno uruguayo envía un buque-insignia a México con sus restos y en cada puerto al que se arriba se le rinden homenajes. La llegada a Veracruz es apoteósica, y en el recorrido a la capital de la República hay veladas literarias y honras fúnebres. Esto culmina en el magno entierro en donde de un modo u otro participa la tercera parte de la población de la ciudad, trescientas mil personas.

En la cultura promovida por el modernismo, el sitio central –sensaciones, sonidos, renombre íntimo– le corresponde a la espiritualidad, es decir, el don de interiorizar las emociones profundas que la poesía suscita, el instinto que localiza *lo poético* en los sitios inesperados, el caudal mnemotécnico que extrae en el instante oportuno los versos que iluminan la intimidad. Por eso, un rasgo común de los iberoamericanos (y de las sociedades occidentales de esta etapa) es el uso de la memoria como archivo literario. Saberse puntualmente a los poetas es asumir los ritmos prestigiosos del habla y la escritura, es hallar por doquier «hermanos en la rima y la metáfora».

En el principio era la Palabra, y la Palabra se reunía
todos los jueves en la Academia

A las Repúblicas les hacen falta instituciones de toda índole. En el campo del Espíritu (jamás le quiten la mayúscula a esta palabra) se requieren Sociedades Literarias, Salones Literarios, Academias, Academias de la Lengua, Academias de Geografía e Historia, veladas en honor de la poesía, y sesiones interminables donde la declamación y la oratoria hacen

124

las veces de «tempestades sensoriales». Y la élite opta por la práctica de las Veladas Únicas, al amparo de teatros suntuosos, señal del refinamiento que desciende de la arquitectura a los gustos personales (el Teatro Colón, de Buenos Aires, es el ejemplo culminante).

En los palcos suele desarrollarse el más conmovedor de los espectáculos, y si los Teatros Nacionales son el centro de la plenitud burguesa es porque las voces operísticas las complementa la magnificencia de vestuarios y joyas. En tanto conjunto de haberes, la cumbre formal de la sociedad es la ópera; en cuanto a pretensiones de ascenso cultural la cima es la Academia. Cuando Darío suplica: «¡De las academias líbranos, Señor!», se refiere a la conversión de centros de estudio del idioma y de las ciencias en templos de la pompa y la circunstancia petrificada.

El examen atentísimo y las versiones casi siempre macarrónicas de lo que ocurre en París y Madrid igualan las formas de abordar la cultura. La declamación deforma la poesía volviéndola cómplice de la exaltación a pedido; los círculos de elogios mutuos fortalecen las literaturas nacionales sin darle demasiada oportunidad a la literatura a secas; las publicaciones insisten en temas parisinos en espera de la sociedad internacional que los asuma con naturalidad; el localismo urde sus glorias, y deja que por descuido se filtren incluso creadores importantes.

El centro de la civilización

Otro lazo vigoroso de las minorías ilustradas de Iberoamérica es –ciudad y concepto– *París*, la capital del siglo XIX y principios del siglo XX para la civilización occidental. París, hubiese dicho cualquiera de los escritores, músicos, pintores, hombres cultos de la época, nos enseña a ver, sentir y pensar de manera civilizada, y auspicia la ambición magnífica, la condición de ciudadano del mundo o, en un nivel menos enfático, de persona cosmopolita. Lo entonces llamado cosmopolitismo es aprendizaje de idiomas y literaturas, sensación de universalidad (la que se obtiene viajando fuera del país propio) y solicitud de ingreso (casi siempre escénica) al exilio interno, ¿cómo no huir de las sociedades ignaras domiciliándose en las artes? Y en la atmósfera general de afrancesamiento no es demasiada la distancia entre las élites de La Habana, Buenos Aires, Managua, Valparaíso, Santo Domingo, Quito o la Ciudad de México.

Para llegar al afrancesamiento, lo primero es liquidar los chovinismos, y las insuficiencias rencorosas. En su crónica sobre una conferencia de Oscar Wilde (1882), Martí es enfático:

> Vivimos, los que hablamos lengua castellana, llenos todos de Horacio y Virgilio, y parece que las fronteras de nuestro espíritu son las de nuestro lenguaje. ¿Por qué nos han de ser fruta casi vedada las literaturas extranjeras, tan sobradas hoy de ese ambiente natural, fuerza sincera y espíritu actual que falta en la literatura española?... Conocer diversas literaturas es el mejor medio de librarse de la tiranía de algunas de ellas.

Una meta de los escritores de Iberoamérica: ver desde fuera las culturas nacionales, para reconocerlas casi objetivamente, cotejándolas con la francesa. París, lugar privilegiado de encuentro, es incluso centro editorial del mundo de habla hispana. En las primeras décadas del siglo XX, escritores y artistas hoy muy vigentes o un tanto olvidados viven en París, objeto de la envidia reverente de los jóvenes aspirantes en Iberoamérica. Entre ellos, los mexicanos Amado Nervo y Alfonso Reyes, los peruanos Ventura García Calderón y César Vallejo, los guatemaltecos Enrique Gómez Carrillo y Luis Cardoza y Aragón y el cubano Alejo Carpentier. Sus crónicas, reproducidas en varios países, notifican de la unidad profunda de inquietudes, devociones artísticas, puntos de vista.

Lo que el sedentarismo califica de «afrancesamiento», es en rigor un trámite civilizatorio que atraviesa por las etapas inevitables: asombro, intimidación, admiración, afán imitativo, asimilación, recreación imaginativa, frustraciones variadas, creaciones singulares.

«América, América mía»

Desde el siglo XIX un mesianismo (que no se reconoce como tal) tiene como eje las promesas ilimitadas de América. José Mármol (1817-1871), el argentino autor de *Amalia*, novela de amor y política, es muy enfático:

... el porvenir de América está escrito en la obra de Dios mismo: es una magnífica y espléndida alegoría en que ha revelado los destinos del Nuevo Mundo el gran Poeta de la Creación Universal.

Esta fe, de algún modo afín al «americanismo literario» de Andrés Bello, persiste como la esperanza indomable entre caudillos y situaciones caóticas. Con la unidad de América se cumplirá el sueño bolivariano de la anfictionía, y dejará de ser verdad lo descrito por Simón Rodríguez: «(Los países hispanoamericanos) son miserables entre la abundancia.»

La primera corriente intelectual y literaria que se ufana de la unidad iberoamericana se localiza de principios del siglo XX a los años treintas. Según Henríquez Ureña en *La utopía de América* (1925), la unidad histórica y de propósito en la vida política y en la intelectual convierte «Nuestra América» en una entidad, la *Patria Grande*, la agrupación de naciones destinadas a unirse cada vez más y más. Y Henríquez Ureña no vacila, y compara a los de América Latina con los pueblos, políticamente disgregados pero espiritualmente unidos, de la Grecia Clásica y la Italia del Renacimiento.

La utopía es el término de ese momento. Y la utopía dispone, para medir su amplitud, de dos contrastes: la situación caótica de los países versus el orden que surge en Estados Unidos, y el ámbito de los valores del espíritu versus el culto a lo material. En esto, una estrategia de resistencia indispensable consiste en oponer al desprecio de las metrópolis la certidumbre de una grandeza. Desde fines del siglo XIX, las teorías del darwinismo social infestan Iberoamérica, con su acusación terrible: los latinoamericanos pertenecen a las razas inferiores, por pertenecer a la decadencia latina y por sus mezclas. Como señala Wolfgang Matzat, a esta andanada sociodarwinista, difundida entre otros por Gustave Le Bon, se oponen el uruguayo José Enrique Rodó con *Ariel*, y José Vasconcelos con *La raza cósmica*. Rodó ve en Latinoamérica la materialización posible de Ariel y en los Estados Unidos la encarnación de Calibán. Vasconcelos sitúa a los mestizos en la cima de la pirámide racial. «Ariel», escribe Rodó, «es el imperio de la razón y el sentimiento sobre los bajos estímulos de la irracionalidad; es el entusiasmo generoso, el móvil alto y desinteresado y la gracia de la inteligencia...»

La nueva idea de *América* se desliga de Estados Unidos, y se ostenta como la totalidad exaltada, el continente con el Caribe adjunto, donde todo reverbera en función de la belleza épica: ríos, montañas, gente, pasado indígena, grandeza de los libertadores. Se pinta, se compone, se escribe, se esculpe, se danza, para loar a la entidad que era sólo Historia y Tragedia y de pronto se deja ver también como Arte, la pasión que impregna a grupos selectos y a muchedumbres que proceden por fe y no por demostración.

Inevitablemente, la definición de *América*, la plenitud estética descubierta o avizorada, participa de modo fundamental de la crítica a la admiración por Estados Unidos. No existirá *América* –es la consigna– si no se da la recuperación mental del término. En 1922, en Río de Janeiro, José Vasconcelos, entonces Secretario de Educación Pública de México, al entregarle al pueblo de Brasil una estatua del emperador azteca Cuauhtémoc, pronuncia un discurso de acento mesiánico:

> Los norteamericanos han creado ya una civilización poderosa que ha traído beneficios al mundo. Los iberoamericanos nos hemos retrasado, acaso porque nuestro territorio es más vasto y nuestros problemas más complejos, acaso porque preparamos un tipo de vida realmente universal; pero, de todas maneras, nuestra hora ha sonado y hay que mantener vivo el sentimiento de nuestra comunidad en la desdicha o en la gloria, y es menester despojarnos de toda suerte de sumisión para mirar al mundo, como lo mira ese indio magnífico, sin arrogancia, pero con seguridad y grandeza; seguros de que el destino de pueblos y razas se encuentra en la mente divina, pero también en las manos de los hombres, y por eso, llenos de fe, levantamos a Cuauhtémoc como bandera y decimos a la raza ibérica de uno y otro confín: «Sé como el indio; llegó tu hora; sé tú mismo.»

Vasconcelos, ministro, encabeza una manifestación estudiantil contra el tirano de Venezuela Juan Vicente Gómez. ¿Por qué no? Se siente genuinamente iberoamericano, y juzga válido su proyecto espiritual para el continente, sintetizado en su teoría del mestizaje, origen de su libro *La Raza Cósmica*, (1925). A su más discreta manera, un coetáneo de Vasconcelos también se ocupa de la forja de una cultura iberoamericana. Alfonso Reyes, embajador de México en Argentina y Brasil, busca programáticamente el vínculo con los intelectuales de otros países. «Todo lo sabemos entre todos» es su lema integrador, en momentos en que el derrotismo, con palabras no muy diversas, declara: «Todo lo ignoramos entre todos.»

En poesía, la idea de América repercute extraordinariamente. En su libro *Piedra de sacrificios* (1921), el mexicano Carlos Pellicer escribe:

¡América, América mía!
La voz de Dios sostenga mi rugido.
La voz de Dios haga mi voz hermosa.
La voz de Dios torne dulce mi grito.
Loada sea esta alegría
de izar la bandera optimista.
Galopan los océanos y las montañas crecen.

En la versión de Pellicer, *América* es la suma de la Naturaleza, el espíritu religioso y «la pirámide de las renovaciones cívicas». He aquí el caudal de lo primigenio: los Andes, Uxmal, el Iguazú, Bolívar, San Martín, Buenos Aires, Guanabara, Río de Janeiro, Veracruz, Cuba, el Anáhuac, el volcán Popocatépetl, la fe que salvará a los pueblos, el recelo antiimperialista. A la desmesura en la alabanza de Nuestra América se responde de inmediato con sátira y sarcasmo. Un ejemplo: el mexicano Genaro Estrada en 1928:

Eran tiempos en que los poetas líricos se acogieron a la poesía épica: tiempos de Tabaré y de Chimborazo, de Tequendama y de Popocatépetl, de selva virgen y de Amazonas, de águilas altivas y de «cóndor colosal de orlado cuello»... Todo lo que fuera americanismo teníase por el «último grito». Y si lo continental presentábase como nacional y lo nacional se sazonaba con sabores de la región y de la provincia, el éxito estaba más asegurado.

De «las Esencias Nacionales»

El culto por Nuestra América reverbera a principios del siglo XX entre los intelectuales que se declaran iberoamericanos. Uno de ellos, el argentino Manuel Ugarte (1875-1951), autor del libro de ensayos significativamente llamado *La Patria Grande*, escribe el 3 de mayo de 1913:

> Pero, mi patria, ¿es acaso el barrio en que vivo, la casa en que me alojo, la habitación en que duermo? ¿No tenemos más bandera que la sombra del campanario? Yo conservo fervorosamente el culto del país en que he nacido, pero mi patria superior es el conjunto de ideas, de recuerdos, de costumbres, de orientaciones y de esperanzas que los hombres del mismo origen, nacidos de la misma revolución, articulan en el mismo continente, con ayuda de la misma lengua.

Para Ugarte son inconcebibles la desunión y la mezquindad nacional: «La política de "cada uno para sí" y el razonamiento primario que entretiene la credulidad de algunos gobiernos no resiste el análisis y es un error visible que, además del egoísmo que denuncia, contiene males innúmeros.» Poco más tarde, un grupo argentino promueve la «Unión Latino-Americana», y destaca entre ellos Alfredo Palacios, con su proclama «independentista»:

> Nuestra América hasta hoy ha vivido de Europa teniéndola como guía. Su cultura ha nutrido y orientado. Pero la última guerra ha hecho evidente lo que ya se adivinaba: que en el corazón de esa cultura iban los gérmenes de su propia disolución.

Este voluntarismo, muy compartido, encuentra a su crítico: el peruano José Carlos Mariátegui, reacio a los discursos de «algunos temperamentos excesivos y tropicales». Mariátegui escribe:

> Tomemos a nuestra cuestión. ¿Existe un pensamiento característicamente hispanoamericano?

Me parece evidente la existencia de un pensamiento francés, de un pensamiento alemán, etc., en la cultura de Occidente. No me parece evidente, en el mismo sentido, la existencia de un pensamiento hispanoamericano. Todos los pensadores de nuestra América se han educado en una escuela europea. No se siente en su obra el espíritu de la raza. La producción intelectual del continente carece de rasgos propios. No tiene contornos originales. El pensamiento hispanoamericano no es generalmente sino una rapsodia compuesta con motivos y elementos del pensamiento europeo. Para comprobarlo basta revisar la obra de los más altos representantes de la inteligencia indoibera.

En esta etapa, conviven dos creencias totalizadoras: la fe en el Pueblo y la catalogación de «las Esencias Nacionales». El Pueblo, en esta mitología, es la entidad nutricia, la tierra fértil de la inspiración y la autenticidad, el ámbito de suprema abstracción en donde conviven marxistas, nacionalistas y creyentes. Y «las Esencias Nacionales» son lo que define a una sociedad y caracteriza determinísticamente sus componentes: la Cubanía, el Alma Nacional Argentina, la Peruanidad, el Ser Colombiano, el Ser Venezolano, la Mexicanidad, el concepto de «Raza» en Mariátegui. En nombre de esta cacería de Esencias se escriben libros persuasivos: *Indagación sobre el choteo,* del cubano Jorge Mañach, *El perfil del hombre y la cultura en México,* del mexicano Samuel Ramos, *Radiografía de la pampa,* de Ezequiel Martínez Estrada.

La unidad por la revolución

En un nivel, la cultura iberoamericana, en su versión más oficial y prestigiosa, parece la misma en todos los países: cenáculos, academias, ceremonias con la augusta presencia de los jefes de Estado, vanguardias que irrumpen con furia y sólo de vez en cuando cristalizan, declamaciones, retórica en el peor sentido, creadores extraordinarios, público escaso que se compensa con el bastante más amplio que se deja contaminar por el entusiasmo de los enterados. Y las explosiones del nacionalismo conducen a la oposición entre «cultura para el pueblo» y «elitismo» que divide los medios literarios de Latinoamérica. En este panorama, la influencia del marxismo, en el período que va de 1920 a 1980 aproximadamente, resulta extraordinaria en especial en lo tocante al alejamiento del nacionalismo o, si se requiere, a la mezcla de nacionalismo y de un «internacionalismo proletario», muy efectivo en el apoyo a la República española y en la lucha contra el fascismo, muy patético en la sumisión a la política de la URSS. Como doctrina, que sus adeptos suelen considerar *religiosa*, el marxismo tarda en arraigar por falta de traducciones accesibles, y por estar ausente de los programas académicos. Según Vicente Lombardo Toledano, marxista mexicano que dirige por décadas una organización sindical latinoamericana, él conoce su primer libro de marxismo en español apenas en 1932. Antes sólo se consiguen libros en inglés y francés.

Los problemas de interpretación

El teórico marxista más destacado de América Latina es José Carlos Mariátegui (1895-1930), autor de un libro excepcional: *Siete ensayos de interpretación de la realidad peruana* (1928). Allí despliega su defensa del indígena, uno de los grandes temas latinoamericanos silenciados por el racismo. Para Mariátegui, el sentido de comunidad de los indios es su gran fortaleza:

... el individualismo, bajo un régimen feudal, no encuentra las condiciones necesarias para afirmarse y desarrollarse. El

133

comunismo, en cambio, ha seguido siendo para el indio su única defensa. El individualismo no puede prosperar, y ni siquiera existe efectivamente, sino dentro de un régimen de libre concurrencia. Y el indio no se ha sentido nunca menos libre que cuando se ha sentido solo.

Mariátegui está convencido en términos casi obligadamente teológicos: la redención, la salvación del indio son el programa y la meta de la renovación peruana. «Los hombres nuevos quieren que el Perú repose sobre sus naturales cimientos biológicos. Siempre el deber de crear un orden más peruano, más autóctono.» El análisis de Mariátegui es brillante, despojado de sectarismo. Su marxismo es, de hecho y pese a su condena vehemente del pasado, la continuación necesaria de pensadores como Juan Bautista Alberdi y Sarmiento, que se desenvuelve en caminos trazados por el racionalismo filosófico, el pragmatismo, el anticlericalismo, el positivismo y la defensa de la tecnología y la educación. Con una diferencia: para Mariátegui, no hay tal cosa como el «peso muerto de lo índigena».

El ejemplo de *Siete ensayos de interpolación* no cunde. La «urgencia de la hora» pospone las tareas de largo alcance en beneficio de artículos, manifiestos y reuniones interminables. Se lee poco a Marx y por lo común de manera descuidada, y se cita sin convicción alguna la sentencia: «Nuestra doctrina no es un dogma sino guía para la acción.» Por el contrario, suele ser un dogma y a conceptos básicos (lucha de clases, dictadura del proletariado, centralismo democrático, dialéctica) se les otorga el carácter de invocaciones contra las tinieblas. Durante el tiempo en que funciona como espíritu religioso, el marxismo no contribuye al debate de ideas.

A diferencia del proceso de la mayoría de los intelectuales católicos y la Iglesia, armonizado en lo básico, es muy conflictiva la relación entre los intelectuales de izquierda y los grupos comunistas, trotskistas y maoístas. Hasta 1968 la hegemonía de los partidos comunistas es indudable. Surgen en el transcurso de una década: el de México en 1919 o 1921; los de Argentina y Bolivia en 1921; el de Chile en 1922; el de Cuba en 1925; el de Venezuela en 1931. Obedecen drásticamente a los dictados de la Unión Soviética, así a partir de la invasión de Hungría en 1956 comiencen las críticas. Oscilan entre el sacrificio y la generosidad y el sectarismo y la inflexibilidad que localiza al peor enemigo en el compañero del día anterior. Se nutren de estudiantes, profesionales, empleados, y, en número siempre menor a lo necesario, de obreros.

En la primera mitad del siglo XX, la izquierda nacionalista y la izquierda marxista y comunista tienen entre los intelectuales un impacto considerablemente mayor al de la derecha fascista y tradicionalista. De 1920 a 1970, aproximadamente, la izquierda decide el proyecto cultural alternativo de Latinoamérica, y promueve a poetas, narradores, pintores y músicos, celebra encuentros por la paz, moviliza campañas con frecuencia muy eficaces por la libertad de presos políticos o por el cese de la represión. La cultura oficial de cada país tiene el control presupuestario y los aparatos de promoción, pero las izquierdas son también convincentes en su manejo del canon alternativo. ¿Quién discute el valor de Neruda, Nicolás, Guillén, Diego Rivera, David Alfaro Siqueiros, Jorge Amado, Oscar Niemayer? Y, además, las izquierdas participan en la construcción del canon nacionalista, porque en su discurso, mientras «se alzan los pueblos con vigor con *La Internacional*», si los Estados Unidos representan el protestantismo y la disolución de lo que ha constituido a los pueblos, la URSS representa el porvenir venturoso. La crónica del viaje de Luis Cardoza y Aragón a la URSS se intitula *Retorno al futuro*.

«No le des paz ni cuartel / al burgués implacable y cruel» (de «La Joven Guardia»)

En la década de 1920 una nueva utopía se configura en lo político y en lo cultural, movilizando a vastos sectores. Es la utopía de la revolución, del cambio total de régimen de propiedad y actitudes mentales. (Este sueño de la demolición que es edificación coincide en algunos puntos con la ilusión modernista de la vida del Espíritu que oponerle al Becerro de Oro de Norteamérica.) Si la revolución por antonomasia es la soviética, también, por sus condiciones populares, la mexicana atrae debido muy claramente a Zapata y Villa. Y lo que más exalta son los bolcheviques, las arengas ante las tropas zaristas, las imágenes de Lenin, la toma del Palacio de Invierno, la lucha contra los poderes europeos, las noches agitadas discutiendo puntos de la teoría y batallas de los días siguientes.

Hacer la revolución –el llamado de la hora– es dirigirse a la toma de conciencia bajo las banderas del género humano. Se prodiga la novela social: Graciliano Ramos y Jorge Amado en Brasil, la narrativa de la revolución en México, las novelas anti-United Fruit en Centroamérica, la producción de Ciro Alegría, Arturo Uslar Pietri, Alfredo Pareja Díez Canseco, Rómulo Gallegos, José Eustacio Rivera, Miguel Ángel Asturias, entre otros nombres. Se alumbra al enemigo colectivo: la barbarie de los capitalistas nativos, el imperialismo norteamericano, el fanatismo, el atraso.

La poesía, y el clímax de tal actitud es *Canto general* (1949), de Pablo Neruda, de pretensiones felizmente desmesuradas. A partir de la convicción comunista, Neruda quiere nombrarlo todo de nuevo, concentrar en el poema la América Latina entera: la fauna, la flora, la hidrografía, la orografía, la historia, la voluntad de resistencia, la grandeza de los trabajadores, las esencias nacionales, la revolución. Y el resultado es portentoso, no obstante caídas lamentables en el realismo socialista, el culto a Stalin y el voluntarismo político.

> Antes de la peluca y la casaca
> fueron los ríos, ríos arteriales,
> fueron las cordilleras en cuya onda raída
> el cóndor o la nieve parecían inmóviles.
> Fue la humedad y la espesura,
> el trueno sin nombre todavía,
> las pampas planetarias.

También, a la luz del fervor revolucionario, el cubano Nicolás Guillén y el peruano César Vallejo, entre otros, forman parte del rito de identidad comunitaria en Hispanoamérica. No obstante su denso carácter experimental, Vallejo es reverenciado por los jóvenes, y Guillén, en sus poemas de la negritud, agrega sonidos y ritmos al lenguaje poético, y, para volver a Neruda, desde *Veinte poemas de amor y una canción desesperada* y *Residencia en la tierra* aporta uno de los lenguajes primordiales de la poesía.

«Que sea la raza humana soviet internacional»

Una creencia latinoamericana: de *la política* (de la cercanía o la lejanía del poder) todo depende. No es así, desde luego, y es profundo el poder de la economía, de la cultura, de las estrategias de sobrevivencia de las sociedades. Pero la creencia notifica la falta de libertades y derechos civiles, la escasa cantidad de personas que se arrogan la representación de cada una de las naciones. De allí el oportunismo como lógica generalizada de sobrevivencia; de allí el papel fundamental de la empleomanía, la corrupción, la resignación ante los autócratas. Los liberales luchan por las libertades de expresión y de conciencia, y los conservadores defienden el tradicionalismo más estrecho. Con frecuencia, los conservadores retienen el poder y cierran todavía más las sociedades, y los liberales, cuando ganan, se vuelven conservadores. De fuera parece el encuentro entre la Providencia (la Caída insondable del ser humano) y el Progreso (toda historia es preámbulo de la verdadera historia).

En 1936 la Guerra Civil en España conmueve en América Latina, divide a las comunidades intelectuales, previene a fondo sobre el fascismo y es el hecho definitivo de la política y la cultura. La izquierda crece en casi todos los países, pero a su desarrollo le ponen cerco el aparato soviético, que todo lo subordina a los intereses de la URSS, y la mentalidad estalinista, que encadena el ideario socialista al culto a la personalidad y el recitado de los dogmas. El sectarismo ahoga la lucidez, y las revelaciones posteriores sobre la naturaleza genocida del régimen soviético y del socialismo real despojan a un impulso generoso de su base de sustentación. Los que dieron su vida por la causa, soportando torturas y maltratos y despidos y linchamientos físicos y morales, se quedan sin asideros históricos, los mineros de Bolivia, los sindicalistas de Chile y Argentina, los adversarios de la United Fruit en Centroamérica, los campesinos y obreros mexicanos. La desintegración de su causa los conduce a la invisibilización o el arcaísmo.

Sin embargo, son extraordinarios los resultados culturales y políticos de la izquierda de una época (1920-1960). Se implanta la práctica de los derechos obreros, se sostiene cuando nadie más lo hace la defensa de los derechos humanos, se produce una literatura valiosa, se genera una solidaridad internacional antes inexistente en Latinoamérica, se unifican visiones del mundo, se destruye la mentalidad aislacionista. Pero a logros y desempeños heroicos los sumerge la sombra del camarada Stalin.

Con la invasión norteamericana de Santo Domingo en 1965, y la muerte del Che Guevara en Bolivia en 1967, el predomino de la izquierda en las universidades públicas se acrecienta. Si el marxismo había sido la cosmovisión belicosa de una minoría, de pronto, y gracias muy especialmente a generaciones de profesores partidarios de la Revolución Cubana y a la toma de editoriales como Siglo XXI, que divulgan los manuales de Marta Harnecker entre otros libros catequísticos, centenares de miles de estudiantes en toda América Latina adquieren nociones del marxismo, y, en una minoría importante de casos, se comprometen emocional y/o políticamente con la izquierda. Muy pocos perseveran en las organizaciones, pero el punto de vista adquirido en ese tiempo sigue actuando culturalmente.

«A todos, a condición de que sean unos cuantos»
(Xavier Villarrutia)

En su examen del siglo XIX, apunta el ensayista colombiano Rafael Gutiérrez Giradoti:

En vano argüir con el analfabetismo de la mayoría de las poblaciones de la América hispánica en el siglo XIX, así como también es insuficiente deducir de ese analfabetismo que los «cultos» o «semicultos» formaban una «élite», porque las sociedades independientes se encontraban en el proceso de disolución de la estructura jerárquica, es decir, en una época de transición llena de resistencias, en la que sólo la supuesta «élite» podía recuperar los elementos para crear una sociedad que suprima la violencia implícita en el orden mantenido, hasta la perversión, por «le sacré».

Lo señalado en el siglo XIX es válido también en la primera mitad del siglo XX. Son grupos calificados de elitistas –*Sur* en Argentina, *Orígenes* en Cuba, *Contemporáneos* y *El Hijo Pródigo* en México– los que, a base de rigor literario y artístico y una muy adecuada política de traducciones, ordenan la resistencia contra el aislacionismo y el populismo de los nacionalistas. Victoria Ocampo en *Sur* juega un papel único: alienta traducciones, relaciona la cultura argentina con grandes creadores y figuras de moda, propaga autores y tendencias. Si el impulso de estas revistas da lugar a las vaguedades y los candores descritos por Henríquez Ureña («En las regiones de nuestra "alta cultura" el pensamiento sólo entusiasma cuando pagamos por él altos derechos de importación»), también auspicia la exigencia de altos niveles. Leer en 1928 a T. S. Eliot en una traducción magnífica de *Contemporáneos,* o leer en *Sur* las versiones de Borges y Bioy Casares de la poesía en lengua inglesa, es una experiencia única.

A lo largo del siglo XX, en las revistas se localiza gran parte de los avances, los experimentos, las políticas del mundo cultural. Además de *Sur, Contemporáneos y Orígenes,* cabe citar *Amauta,* de Perú, *Asomante,* de Puerto Rico, dirigida por Nilita Vientós Gastón, *El Hijo Pródigo y Cuadernos Americanos,* de México, *Ciclón* de Cuba, el suplemento cultural de *Marcha* en Uruguay. Y las editoriales complementan y trascienden la acción de las revistas. Por ejemplo: el Fondo de Cultura Económica, fundado en 1934, Sur, Emecé, Losada, Eudeba, Ercilla, Sudamericana, Porrúa, Joaquín Mortiz, Era, Grijalbo... Ya desde 1980 la industria editorial española participa muy activamente en el mercado del libro latinoamericano, y continúa lo que ya en cada país resulta cada vez más costoso: la política de traducciones.

La Guerra Fría y el traspaso ideológico del imperio

Desde 1947 o 1948 la Guerra Fría, la vasta operación ideológica, diplomática y política instrumentada por los gobiernos norteamericanos, es un método forzado de cohesión en América Latina. En efecto, el estalinismo es uno de los regímenes más crueles de la historia, y sus partidarios niegan hechos evidentes; en efecto también, a nombre de la libertad, la Guerra Fría desata campañas inquisitoriales contra las demandas de justicia social y el pensamiento de izquierda. Bajo la presión de los embajadores de Estados Unidos y la aceptación belicosa de gobiernos asustados y complacidos (reprimir a los más bien escasos comunistas es manera fácil de quedar bien con el Imperio), la Guerra Fría se expande e influye en la sociedad entera. Se miente con la verdad (y la verdad *light:* el estalinismo es bastante más opresivo de lo que se dice) y se consigue la identificación de *conspiración sórdida* y *búsqueda de la justicia social.* Y esto trae consigo la «militarización» cultural, con persecuciones de escritores y pintores, y un clima de linchamiento moral de la disidencia. Esto escinde la vida intelectual, y deja a los distintos Establishments a cargo de la cultura gris y acrítica.

A la Guerra Fría la complementa el ofrecimiento de una Identidad de plástico: «la mentalidad panamericana», que congrega sin distingos a Norteamérica y Latinoamérica, y prolonga la política de la Buena Vecindad. Los requerimientos de la Segunda Guerra Mundial primero, y la urgencia de contener a la izquierda latinoamericana acto seguido, glorifican el panamericanismo, exaltado publicitariamente por argucias tales como el film de Walt Disney *Los tres caballeros* (1946), con sus personajes «integradores»: el Pato Donald, Joe Carioca y Pancho Pistolas. Añádase la increíble brasileña Carmen Miranda, *the Girl with the Tutti Frutti Hat,* y el ofrecimiento de unidad ya es parodia.

La Revolución Cubana: los años del consenso

En 1959 esta situación se modifica. Fidel Castro, al frente del ejército revolucionario, entra en La Habana. En Iberoamérica el entusiasmo es extraordinario, al concretarse, en mezcla vertiginosa de sueños y realidades (de sentimientos de logro y autoengaños), el anhelo histórico: la victoria sobre el imperialismo norteamericano, en este caso la independencia de un país a noventa millas de Estados Unidos. Es amplísimo el apoyo a la Revolución Cubana, y la mayoría de los intelectuales latinoamericanos se cree a las puertas de la genuina modernidad, ya no producto del acatamiento de la tecnología sino de la mezcla de experimentación y justicia social, de libertades formales y compromiso revolucionario.

En los sesentas, van a Cuba una gran parte de los mejores escritores, artistas e intelectuales del mundo. Entre los latinoamericanos figuran Ezequiel Martínez Estrada, José Bianco, Julio Cortázar, Carlos Fuentes, Mario Vargas Llosa, Roberto Matta, Pablo Neruda, David Alfaro Siqueiros, Luis Cardoza y Aragón, Mario Benedetti, Gabriel García Márquez, Eduardo Galeano, José Emilio Pacheco, Juan José Arreola, Juan Rulfo, Ángel Rama, David Viñas... Nunca antes un hecho político ha dispuesto de tantas resonancias culturales. Y para entenderse con lo que al principio no es en lo fundamental «turismo revolucionario», las autoridades de Cuba fundan en 1960 Casa de las Américas, destinada al diálogo con escritores, intelectuales y artistas afines a la Revolución. En julio de ese mismo año aparece *Casa de las Américas,* revista dirigida por Antón Arrufat y Fausto Masó, que a lo largo de una década impulsa lecturas, debates, tendencias, revisiones que desembocan en otro canon de la cultura latinoamericana. *Casa* difunde en gran escala a novelistas y poetas, de Juan Rulfo a Mario Vargas Llosa, de Aimé Cesaire a Mario Benedetti; *Casa* informa de la necesidad de leer a Louis Althusser y Frantz Fanon; *Casa* documenta la unidad profunda de América Latina, mantenida pese a regionalismos y nacionalismos.

Los encuentros anuales del Premio Casa en La Habana y la propuesta de una lectura lo más unificada posible de la literatura, las artes plásticas y la música sobre todo, orientan la sensibilidad que es adelanto de sociedades abiertas, tolerantes y críticas. El «boom» de la narrativa, inaugurado casi formalmente por la industria editorial española, es en última instancia la idea compartida por autores y lectores de la novela como suprema experiencia vital que va de la brillantez formal a la apertura de la conciencia. Si el libro irrefutable (la lectura obligatoria) es *Cien años de soledad*, otros autores fundamentales son Julio Cortázar *(Rayuela, Las armas secretas)*, Mario Vargas Llosa *(La ciudad y los perros, Conversación en la catedral)* y Carlos Fuentes *(La región más transparente, La muerte de Artemio Cruz)*.

A la luz del boom se ratifican clásicos súbitamente latinoamericanos, y antes sólo argentinos, cubanos, mexicanos. Se lee de forma distinta y con espíritu un tanto «místico» a Juan Rulfo *(El Llano en llamas, Pedro Páramo)*, Roberto Arlt *(Los siete locos, El juguete rabioso)*, Adolfo Bioy Casares *(La invención de Morel)*, Guimaraes Rosa *(Gran Sertón, Veredas)*, Jorge Amado *(Gabriela, clavo y canela)*, Juan Carlos Onetti *(Juntacadáveres, Los astilleros)*, Macedonio Fernández. Y se frecuenta a narradores de primer orden que, sin el sello del boom, afianzan con rapidez su permanencia: Guillermo Cabrera Infante *(Tres tristes tigres)*, José Donoso *(Coronación, El lugar sin límite)*, Severo Sarduy *(De donde son los cantantes)*, Manuel Puig *(El beso de la mujer araña)*. Y tres hombres de letras son esenciales en la integración de la nueva sensibilidad: Jorge Luis Borges, Octavio Paz y José Lezama Lima. Cada uno de ellos se dirige a «comunidades de visión abierta», para usar el término de Northrop Frye. Alcanzan una minoría selecta, pero van más allá y se vuelven emblemas de sus países y de la creatividad de la lengua (hoy Borges es uno de los grandes orgullos y mitos latinoamericanos). Y no hay división entre «puristas» y «comprometidos», sino entre formas de intensidad.

La década de los sesentas es el escenario del auge de la izquierda intelectual, y es una meta importantísima publicar en *Casa*, ser jurado o ganador de sus premios. Si la Revolución Cubana es recibida con júbilo casi unánime en 1959, la solidaridad se acrecienta en 1962, al ser expulsada Cuba de la Organización de Estados Americanos (OEA). *Casa* se convierte en el centro agitador de la intelectualidad de izquierda, y su mensaje cunde y es creído: la utopía existe y su primera manifestación es Cuba. La estrategia de *Casa* es inequívoca: asumir que América Latina está dividida en pro o en contra de la Revolución, y suministrar elementos de combate intelectual. En el segundo número de la revista, como recuerda Nadia Lie en su muy útil *Transición y transacción. La revista cubana Casa de las Américas (1960-1976)*, el editorial combina el resumen pesimista y la promesa del milagro:

Si nos quedamos un momento a pensar lo que es América para nosotros mismos quedaremos defraudados. Es una imagen deplorable de desasosiego y desorientación. El hombre americano está, en esa imagen culpable, como perdido en un continente que es su enemigo y que no alcanza a domeñar, que no alcanza a hacer suyo. América es un continente sin rostro para muchos americanos y, por supuesto, para el resto del mundo... Pero si existe América, no es la que encontramos cada día, deshecha y superficial, sino la que en política ha demostrado que la utopía puede hacerse real.

La militancia se predica y se exige. A los intelectuales y artistas se les ofrece un destino muy alto: oponer sus obras y sus ejemplos a las devastaciones del imperialismo. A semejanza de la influencia soviética en el mundo de los años treintas, Casa de las América consigue adhesiones y resonancias. Se fortalece el bloqueo a Cuba, y el gobierno castrista lanza la consigna de los vínculos de los tres continentes de la pobreza: África, Asia y América Latina, la Tricontinental. En 1965, ya dirigida por Roberto Fernández Retamar, la revista proclama: «Sólo una tarea histórica nos es más hermosa que el viejo sueño bolivariano de unidad continental: el nuevo sueño de unidad tricontinental.» Y en el primer (y único) Congreso Cultural de La Habana, en 1968, Fidel Castro asegura: «Los imperialistas dirán tal vez que esto es un Vietnam en el campo de la cultura; dirán que han empezado a aparecer las guerrillas entre los trabajadores intelectuales, es decir, que los intelectuales adoptan una posición cada vez más combativa.»

En ese discurso, Castro arenga y elogia al punto de la adulación a los intelectuales. Son los que irán adelante ante el retroceso y el miedo de «supuestas vanguardias políticas» (los partidos comunistas, por ejemplo). Y en ese tiempo Casa de las Américas es influencia determinante en una empresa, la del conocimiento unificado de la cultura en Latinoamérica, de integrar idealmente, como nunca antes, lo producido en cada uno de los países en poesía, cine, novela, teatro, pintura, música culta y popular. Sólo muy parcialmente se acepta la consigna de *Casa:* «La cultura es hija de la Revolución», pero muchísimos se involucran en la empresa que anuncia: «... elaborar y difundir un pensamiento capaz de incorporar las grandes masas populares a las tareas de la revolución; crear obras que arranquen a la clase dominante el privilegio de la belleza».

Curiosa o no tan curiosamente, el ímpetu de la Revolución Cubana pospone la crítica a un sectarismo tan ostentoso. «El futuro está en marcha», se dice, y eso evita que se asuma debidamente la cerrazón creciente del régimen de Castro, la intolerancia de su «Dentro de la Revolución, todo; fuera de la Revolución, nada» (1962), la creación en 1965 de las UMAP (Unidad Militar de Ayuda a la Producción), campos de concentración para homosexuales, Testigos de Jehová y «antisociales», el antiintelectualismo rampante, las acusaciones contra los «esteticistas», la presión de la militancia que lleva en 1963 al propio Martínez Estrada a la abjuración insólita en su texto «Por una alta cultura popular y socialista cubana», que cita Nadia Lie:

... presenciando el espectáculo de un pueblo que está apli-
cando todas sus fuerzas a la construcción de una sociedad
de justicia, de confraternidad y paz, he llegado a la conclusión de que los intelectuales debemos resignarnos con buen
sentido práctico a construir primero, en unión de los demás ciudadanos, los cimientos y las paredes de ese templo
de mañana que comienza siendo hoy un taller, una granja,
una cooperativa y una escuela, y no pensar por ahora en
colocarle una cúpula y embellecerlo con pinturas y estatuas, con música y representaciones coreográficas.

Algo similar afirma el cubano Lisandro Otero: «La rebeldía es un excelente motor para la creatividad, pero no es
el único. Y hay que determinar si es el más legítimo (y no el
más cómodo) en una sociedad revolucionaria.» Este espejismo de la entrega de la crítica a la causa, y de encomendarle
la modernización de la lucha armada, se mantiene hasta
1971, pese a las constancias de sectarismo y rigidez, y estalla
en 1971 con el Caso Padilla.

Heberto Padilla: «Confiésome culpable de mi inocencia»

El caso Padilla se inicia el 20 de marzo de 1971. Se
arresta en La Habana al poeta Heberto Padilla, crítico áspero
del proceso de la Revolución Cubana, y ganador del premio
de la Unión Nacional de Escritores y Artistas de Cuba
(UNEAC) por su libro «heterodoxo» *Fuera de juego*. Un grupo de 54 intelectuales de Europa y América Latina le dirige
una carta al comandante Fidel Castro notificándole su preo-
cupación por el arresto. Entre los firmantes: Carlos Barral,
Simone de Beauvoir, Italo Calvino, Julio Cortázar, Margue-

rite Duras, Hans Magnus Enzensberger, Carlos Fuentes, Juan García Hortelano, Jaime Gil de Biedma, Juan Goytisolo, Juan Marsé, Alberto Moravia, Luigi Nono, Octavio Paz, Rossana Rosanda, Francesco Rosi, Jean-Paul Sartre, Jorge Semprún, Susan Sontag y Mario Vargas Llosa. Unos días más tarde Padilla, en la UNEAC, confiesa sus crímenes:

> Yo he cometido muchísimos errores, errores realmente imperdonables, realmente censurables, realmente incalificables, y yo me siento verdaderamente ligero, verdaderamente feliz después de toda esta experiencia que he tenido, de poder reiniciar mi vida, con el espíritu con que quiero reiniciarla.

Padilla acepta ser contrarrevolucionario por sus actitudes, sus posiciones, su censura (en privado) a la Revolución. Él no se perdona: «Yo pienso que si yo quería ser un escritor revolucionario y un escritor crítico, mis opiniones privadas y las opiniones que yo pudiera tener con mis amigos tenían que tener el mismo peso moral que las opiniones que yo debía tener en público.» El corte estalinista del Mea Culpa es inequívoco: «A mí me gustaría encontrar un montón de palabras agresivas que pudiera definir perfectamente mi conducta.» Y de la condena de su actitud pasa a la denostación de sus poemas: «Y ese libro, *Fuera de juego*, está marcado por ese escepticismo y esa amargura. Esos poemas llevan el espíritu derrotista, y el espíritu derrotista es contrarrevolución.»

Padilla se autocritica por preferir la literatura de un «enemigo irreconciliable de la revolución», Guillermo Cabrera Infante, a la de un revolucionario probado, Lisandro Otero; se condena a sí mismo por hablar mal de la Revolución delante de extranjeros «contrarrevolucionarios» (el periodista K. S. Karol, el experto en cuestiones agrarias René Dumont, el poeta y ensayista Enzensberger); se humilla por la falta de lealtad al caudillo: «Y no digamos las veces que he sido injusto e ingrato con Fidel, de lo cual nunca realmente me cansaré de arrepentirme.» Y arremete contra su novela «que apostrofaba continuamente contra la revolución..., una novelita que afortunadamente no se publicará nunca. Además, porque yo he roto y romperé cada uno de los pedacitos que yo pueda encontrar algún día delante de mis zapatos de esa novela». Y Padilla va al límite, ve su encarcelamiento como una bendición: «Porque yo sentía que aquella cárcel no era un blasón que se podía ostentar como un sacrificio contra una tiranía, sino precisamente una cárcel moral, justa, porque sancionaba un mal contra la revolución y contra la patria», y exalta a la Seguridad del Estado:

Y por eso yo he visto cómo la Seguridad no era el organismo férreo, el organismo cerrado que mi febril imaginación muchas veces, muchísimas veces imaginó, y muchísimas veces infamó, sino un grupo de compañeros esforzadísimos, que trabajan día y noche para asegurar momentos como éste, para asegurar generosidades como ésta, comprensiones injustificables casi como ésta: que a un hombre que como yo ha combatido a la revolución, se le dé la oportunidad de que rectifique radicalmente su vida, como quiero rectificarla.

Es inevitable suponer una parodia intencional y agónica en confesión tan desbordada. En los días siguientes, Fidel Castro habla sobre el asunto. Les niega para siempre la entrada a «los intelectuales burgueses y libelistas burgueses y agentes de la CIA», y redefine la política cultural de Cuba:

Y desde luego, como se acordó por el Congreso, ¿concursitos aquí para venir a hacer el papel de jueces? ¡No! ¡Para hacer el papel de jueces hay que ser aquí revolucionarios de verdad! Y para volver a recibir un premio, en concurso nacional o internacional, tiene que ser revolucionario de verdad, escritor de verdad, poeta de verdad, revolucionario de verdad. Esto está claro. Y más claro que el agua. Y las revistas y concursos, no aptos para farsantes...

Las consecuencias se encadenan: Mario Vargas Llosa renuncia al Comité de Casa de las Américas, una segunda carta a Fidel Castro de 62 intelectuales ve cómo el juicio de Padilla recuerda «los momentos más sórdidos de la época del estalinismo, sus juicios prefabricados y su cacería de brujas». En marzo de 1971 Julio Cortázar defiende a ultranza el régimen castrista en un poema «Policrítica a la hora de los chacales»:

No me excuso de nada, y sobre todo
no excuso este lenguaje,
es la hora del Chacal, de los chacales y de sus obedientes:
los mando todos a la reputa madre que los parió,
y digo lo que vivo y lo que siento y lo que sufro y lo que espero.

Octavio Paz va a fondo: «... en Cuba ya está en marcha el fatal proceso que convierte al partido revolucionario en casta burocrática y al dirigente en césar». En Uruguay, Argentina, Perú, grupos de escritores de izquierda apoyan a Castro. El resumen más adecuado lo proporciona la crítica argentina Marta Traba:

El 20 de abril la revolución cubana expulsó a la mejor inteligencia latinoamericana, que había sido su constante y más fiel servidora, su propagandista y desinteresada defensora. Una vez más, una revolución socialista le ha hecho comprender ferozmente al intelectual libre que aspira a conseguir justas formas de vida para sus respectivos países (y que en la mayoría de los casos sólo las concibe dentro del socialismo) que su presencia no sólo no es necesaria ni siquiera tolerable, sino que su propia existencia es sólo «basura».

«*En esta esquina, Ariel el imperialista*»

En los años sesentas, al abrigo del anticolonialismo y de las tesis de Frantz Fanon, se insiste en redefinir la cultura latinoamericana o la de cada uno de los países. El teórico más difundido por unos años es el cubano Roberto Fernández Retamar, que utiliza a un personaje de *La tempestad* para proponer su revolución cultural que niega por lo menos la mitad del canon de América Latina. *Calibán* (1972) es una proclama:

Nuestro símbolo no es pues Ariel, como pensó Rodó, sino Calibán... Próspero invadió las islas, mató a nuestros ancestros, esclavizó a Calibán y le enseñó su idioma para poder entenderse con él: ¿qué otra cosa puede hacer Calibán sino utilizar ese mismo idioma –hoy no tiene otro– para maldecirlo, para desear que caiga sobre él la «roja plaga»? No conozco otra metáfora más acertada de nuestra situación cultural, de nuestra realidad.

¿Quiénes se integran en la vertiente «calibanesca»? Fernández Retamar proporciona su lista de grandes exceptuados, Túpac Amaru, *Tiradentes*, Toussaint-Louverture, Simón Bolívar, el cura Hidalgo, José Artigas, Bernardo O'Higgins, Benito Juárez, Antonio Maceo, José Martí, Emiliano Zapata, Augusto César Sandino, Julio Antonio Mella, Pedro Albizu Campos, Lázaro Cárdenas, Fidel Castro y Ernesto Che Guevara. En el terreno intelectual y artístico, ascienden al cielo el Inca Garcilaso de la Vega, el *Aleijadinho*, la música popular antillana, José Hernández, Eugenio María de Hostos, Manuel González Prada, Rubén Darío (sí: a pesar de todo, comenta Retamar), Heitor Villalobos, César Vallejo, José Carlos Mariátegui, Ezequiel Martínez Estrada, Carlos Gardel, Pablo Neruda, Alejo Carpentier, Nicolás Guillén, Aimé Cesaire, José María Arguedas, Violeta Parra y Frantz Fanon. Y concluye: «¿Qué es nuestra historia, qué es nuestra cultura, sino la historia, sino la cultura de Calibán?» Asombra o no debería asombrar que un esquematismo tan categórico se admita por años en el debate latinoamericano. Si se quiere caer en la muy desvencijada trampa de los símbolos, la historia cultural es también la de Ariel. Fernández Retamar propone una imposible «revolución cultural», que elimina lo que no corresponde al canon de Casa de las Américas y de la Revolución Cubana, un canon casi por entero compartible pero parcial y, por lo mismo, excluyente.

La unidad de la moda

Un signo latinoamericano (y mundial, por otra parte) es el avasallamiento de la moda intelectual. En el siglo XIX, y hasta muy entrado el siglo XX, la moda de la sociedad es europea y muy destacadamente francesa. Luego, impera una mezcla de moda norteamericana y moda europa. En el panorama intelectual, a cambio de movimientos por así decirlo nativos (el modernismo literario, el muralismo mexicano), se entreveran caudalosamente el naturalismo (Zola, la gran presencia), el realismo socialista (hélas!) y, ya después, el existencialismo, el estructuralismo, el post-estructuralismo, Lacan, Foucault, Derrida. Las teorías marxistas no pueden considerarse modas, y las divulgaciones de Freud, sus discípulos y sus heterodoxos modifican, con cierto retraso, percepciones fundamentales de la naturaleza humana.

La vanguardia de las clases medias quiere ya deshacerse de prejuicios, costumbres, actitudes, y se allega armas formidables: el conocimiento posfreudiano, la difusión científica, el influjo de los medios electrónicos. El proceso industrial destruye la relación orgánica del individuo con su pasado colectivo, y la americanización hace evidente el debilitamiento de los suministros del nacionalismo.

A partir de 1970 se consolida en América Latina el derecho a la educación media y superior, un sueño inesperado que fija en el ingreso masivo a las universidades el nuevo horizonte de oportunidades, y deshace mitos de los *happy few*. A millones de estudiantes, las ofertas de la industria cultural y el cambio de sentido en la vida urbana los lleva al aprecio de Mozart y Bach, Matisse y Goya, Tamayo y Wifredo Lam, Scott Fitzgerald y Yukio Mishima, Rulfo y Flaubert, Bergman y Kurosawa, Mahler y Philip Glass. Si son discutibles o con frecuencia elementales algunos de los métodos para comprender la nueva cultura, las posibilades de disfrute de las obras maestras se multiplican.

La descripción anterior no es optimista sino descriptiva, y la mayoría de la población sigue alejada de bienes culturales indispensables, pero va desapareciendo el orgullo de la suprema ignorancia, y disminuyen el asombro y el recelo en torno a los intelectuales. No es que cada uno sepa mucho más, es que las comunidades y las personas disponen de una más alta capacidad instalada de conocimiento.

Ver París y luego enclaustrarse

«¿Encontraré a la Maga?», se pregunta un personaje de Cortázar, al principio de *Rayuela*, libro que se fija de manera catedralicia en la memoria de sus lectores. Los latinoamericanos en París, y en toda Europa, afirman su deseo de universalidad, contrastándolo por lo general con el parroquialismo de los arraigados tristemente en sus países. (Algo de esta falsísima dicotomía impregna de patetismo la polémica entre Cortázar y José María Arguedas.) Por algunos años, y por vez última, París es el centro casi inevitable de la experiencia latinoamericana. Luego, esto también se apaga, gracias a la creciente internacionalización cultural de las sociedades y la desaparición del «Centro» en la sociedad global.

De la narrativa, desde el punto de vista de la resonancia, la cumbre es *Cien años de soledad*, de García Márquez, otro *Canto General* que sitúa a Macondo en la geografía entrañable de Iberoamérica y –hay consecuencias indirectas poco recomendables– desentierra, para mejor gloria del eurocentrismo, el término de Alejo Carpentier «lo real maravilloso», y pone en circulación el «realismo mágico», que no es sino el estupor «civilizado» ante los hallazgos del «primitivismo».

El proceso que comienza a fines del siglo XIX, la americanización (en el sentido de versión monopólica de lo contemporáneo), se afianza en la segunda mitad del siglo XX por el poderío económico y cultural de Estados Unidos, la implantación de la publicidad como idioma cotidiano, la política desaforada de importaciones, las debilidades económicas, la ansiedad de status de las clases dominantes y la ubicuidad de la industria del espectáculo de Norteamérica. La americanización, de consecuencias que mezclan lo muy negativo y lo muy positivo, impone sin problemas el spanglish, operación lingüística que no significa el fin del español, pero sí el enriquecimiento necesario del idioma y el señalamiento de la hegemonía tecnológica.

«*Y un día estas megaciudades parecerán poblachos*»

Lo avanzado en la década de los sesentas se continúa de modos diversos, y con frecuencia efímeros. La industria del espectáculo se vuelve la presencia dominante y las telenovelas (mexicanas, brasileñas, venezolanas, puertorriqueñas, cubanas de Miami) suplen al cine pero sin sus consecuencias formativas. Los regímenes militares, las crisis económicas y la falta de apoyo de los gobiernos en lo tocante a industrias editoriales destruyen en muy amplia medida las comunicaciones internas de las literaturas, y se depende de la industria editorial española para difundir autores de otro modo sólo conocidos en sus respectivos países. Pese a su circulación cada vez menor, se incrementan las revistas culturales, y el Internet dinamiza los poderes de la información.

Desde los años ochentas por lo menos, pierde densidad y convicción la técnica que aplica a los espacios culturales criterios de la economía: *dependencia, subdesarrollo, periferia*. En lo creativo el centro está en todas partes, y así se dificulte la difusión del trabajo artístico e intelectual, se desvanece la postración colonizada. Un desafío enorme surge a continuación: el neoliberalismo insiste en «la rentabilidad» de la cultura, y busca imponer la noción del best-seller como lo único deseable. Hay resistencias vigorosas a esa cruzada del rendimiento comercial, pero la situación dista de ser esperanzadora.

¿Qué se sabe hoy de lo que ocurre culturalmente en América Latina en atmósferas dominadas por la economía y la política? ¿Son compaginables la globalización y el nuevo aislacionismo? ¿Qué une y qué divide a países hermanados por las deficiencias de la economía y las gravísimas insuficiencias de la política? La cultura iberoamericana existe, pero los modos tradicionales de percibirla han entrado en crisis. *Miré los muros de las patrias mías...*

«DESPERTÉ Y YA ERA OTRO»

LAS MIGRACIONES CULTURALES

*Marchar hacia ninguna parte, con la condición de que el viaje
lleve a todos lados*

El siglo XX es, entre otras cosas y muy fundamentalmente, época de migraciones voluntarias y a la fuerza, causadas por el ansia de alternativas, la urgencia de mejorar el nivel de vida, el afán de aventura, las ganas de sobrevivir. En otro sentido, no tan dramático, pero igualmente profundo, el siglo es de poderosas e interminables migraciones culturales. Así por ejemplo, en América Latina estas migraciones han sido a tal punto radicales que, en distintos períodos, inventan o legitiman (corroen o rectifican) apariencias urbanas, jerarquías y comportamientos familiares, estilos del consumo, escuelas del sentimiento y el sentimentalismo, idolatrías frenéticas que, las más de las veces, nadie recuerda a los cinco años de su apogeo. No me refiero aquí sólo a las transformaciones de gran alcance civilizatorio, sino también a las relaciones entre industria cultural y vida cotidiana, entre el universo de imágenes y productos comerciales y las ideas del mundo. En las metamorfosis inevitables y en los desplaza-

155

mientos de hábitos, costumbres y creencias, los migrantes culturales son vanguardias a su manera, que al adoptar modas y actitudes de ruptura abandonan lecturas, devociones, gustos, usos del tiempo libre, convicciones estéticas y religiosas, apetencias musicales, cruzadas del nacionalismo, concepciones juzgadas «inmodificables» de lo masculino y de lo femenino. Estas migraciones son, en síntesis, otro de los grandes paisajes de nuestro tiempo.

«Y pues contáis con todo, falta una cosa: continuidad»

A principios del siglo XX, lo propio en América Latina es la homogeneidad de gustos y creencias, la visión de la familia como el segundo recinto eclesiástico, el catolicismo como el archivo de axiomas, la intimidación ante las metrópolis (que muy pocos conocen), el homenaje continuo a los héroes (presentados como padrinos y ángeles de la guarda de los gobernantes), el analfabetismo generalizado, el papel preponderante de la cultura oral, la superstición que identifica el título profesional con un rango espiritual superior, la mística de la poesía (de preferencia en su versión declamatoria), el recelo ante la ciencia que busca devastar la fe, las maneras únicas (aprobadas) de ser hombres y ser mujeres, la sujeción femenina («La mujer en casa y con la pata rota») y, siempre aparatoso, el pavor ante la tecnología, en donde caben las monjas que informan a la curia del invento diabólico utilizado por un obispo (el teléfono), provocan pasmo los primeros fonógrafos (tienen un enano dentro que canta y toca), se aterran (y se esconden en sus asientos) los espectadores de cine al ver avanzar desde la pantalla a la locomotora, se indignan los revolucionarios mexicanos de la Convención de Aguascalientes de 1914 al contemplar en un noticiero a sus enemigos, lo que los envía a desenfundar sus pistolas acribillando las sombras, se horrorizan los espectadores en República Dominicana al ver a Judas en las películas sobre la Pasión de Cristo, motivo por el cual se lanzan con cuchillos a desgarrar las sábanas que hacen las veces de pantalla y matar al traidor.

Y, ubicuos y omnímodos, presiden las ceremonias los símbolos que representan a la Patria, el Pueblo, el Patriarca, la Mujer, la Honra, la Decencia, el Heroísmo, la Gratitud Nacional, la Fe, los Dones de Dios, la Santidad, la Devoción. En los primeros años del siglo XX latinoamericano, lo simbólico es el segundo lenguaje social, el ahorro de tiempo, el intercambio de certezas, el afianzamiento enfrentado y simultáneo de las tradiciones populares, la declaración de perdurabilidad del tradicionalismo, el apuntalamiento de la mentalidad republicana.

En América Latina, una de las primeras migraciones culturales de importancia se desprende de la Revolución Mexicana, que así no destruya el tabú de la sacrosanta propiedad privada, sí exhibe el carácter mortal de algunos hacendados y, lo inesperado, acelera y masifica la movilidad social. La Revolución no sólo expulsa a cientos de miles del país; también, mediante la conminación de las armas, introduce en escena a campesinos y obreros, decreta la relatividad de la moral («La muerte no mata a nadie, / la matadora es la suerte»), crea escalas insólitas de ascenso y genera una estética inesperada. Un personaje de *Los de abajo*, el idealista Solís, minutos antes de que lo alcance una bala perdida, exclama: «¡Qué hermosa es la revolución, aun en su misma barbarie!» Y la belleza atribuida a las alegorías de la violencia se despliega acto seguido en la literatura y la pintura de América Latina, genera el muralismo de Rivera, Orozco y Siqueiros, se expresa en la novela del realismo social, prestigia a los machos de Mariano Azuela y Martín Luis Guzmán y a los compadritos de Evaristo Carriego, prepara el campo para los pósters de Zapata, es el sustrato de *Canaima, Cantaclaro* y *Doña Bárbara*, y origina una de las tesis de Octavio Paz en *El laberinto de la soledad:* «La revolución es la revelación.» La violencia siempre ha existido, pero por vez primera se le concede importancia a su transfiguración artística y literaria.

En las migraciones históricas del campo a las ciudades, a las razones clásicas (salarios de hambre, desempleo, caciquismo, desastres agrarios, latifundios) se añade la de los desplazados por el acoso del «pueblo chico, infierno grande», la cerrazón del fanatismo y la carencia de toda privacidad. Un tema constante de novelas, cuentos y obras de teatro ubicados en provincia es el tránsito a las libertades urbanas, lejos del espionaje parroquial y de la obligación de compartir con los vecinos los imposibles secretos de la recámara. Desde fines del siglo XIX se institucionaliza el abismo entre provincia y capital, y cada quien califica moralmente cuál es el paraíso y cuál es el infierno. En la distribución de funciones, a la capital le toca el equilibrio entre la conducta más desenfadada y las trampas morales, y la provincia se encarga del aislamiento y el cuidado de la ortodoxia. El resultado desintegra a los sectores del sedentarismo, por ser tantos los que en cada generación ambicionan la libertad de movimientos y el crecimiento de oportunidades, y porque escasean los decididos a resistir al tradicionalismo en sus sitios de origen, con resultados inciertos en el mejor de los casos. Desdicha del centralismo: el que se queda en la provincia arraiga en el pasado; el que se va, por el mero hecho de hacerlo, se cree domiciliado en el porvenir. Y no hay un presente compartido.

En las primeras décadas del siglo XX tiene lugar una migración más bien escasa y sólo asumida por una vanguardia (deliberada o involuntaria) en las ciudades. Es el viaje de las costumbres que en México, al amparo de la revolución y del anticlericalismo de los revolucionarios, permite pregonar el amor libre, el desenfado sexual, la blasfemia civil. (En 1921 los estridentistas mexicanos exclaman: «¡Viva el mole de guajolote y muera el cura Hidalgo!») Si la homosexualidad se practica menos crípticamente pero de ningún modo se exalta, sí se da una suerte de liberación femenina que mezcla crea-

158

tividad inesperada y disponibilidad corporal *voluntaria*, alejada de cualquier prostitución. Actos que hoy no llamarían la atención son entonces escandalosos, demostraciones de autonomía espiritual. Ejemplos: la fotógrafa italiana Tina Modotti se desnuda y Edward Weston la fotografía en una azotea, pregonando las formas que son tanto más deseables porque son artísticas, y a la inversa. Frida Kahlo pinta la vida y el dolor y vive sus amores «sin preguntar por cortesía a qué sexo pertenecen». Teresa de la Parra, Gabriela Mistral, María Luisa Bombal y Victoria Ocampo dan cuenta en sus escritos de una sensibilidad radicalmente ajena a la impuesta por el patriarcado, no una «sensibilidad femenina», sino sencillamente no sujeta al machismo. Las sufragistas, al exigirlos, inician el uso de sus derechos. Unos cuantos y unas cuantas migran de hábitos de vida y pensamiento, y anuncian el fin de la dictadura de los comportamientos fijos.

LAS MIGRACIONES TRAMITADAS POR LA TECNOLOGÍA

El cine: «¿Para qué un relato a la luz de la fogata pudiendo gozar en lo oscurito?»

Una migración esencial del siglo XX es la que va del entretenimiento del hogar o del teatro al espectáculo fílmico, es decir, lo que va de lo privado o muy minoritario a lo público tal y como se produce en la oscuridad. El entretenimiento privado, si tal nombre hemos de darle al muy público *seno de la familia*, incluye veladas lírico-musicales, sermones patriarcales, lecciones de abnegación maternal, ruedas de chismes y hostigamientos que son redes de castigo para quienes se desvían de la norma. En el teatro tradicional, se le concede al melodrama el reanimar con frases sonoras la intimidad hogareña, y en el teatro frívolo las canciones, los bailes y los chistes le dan su oportunidad a «lo licencioso». Pero la llegada del cine todo lo trastoca.

Junto a la revolución (o el fracaso o la imposibilidad de la revolución), es el cine el fenómeno cultural en su sentido amplio –antropológico– de efectos más profundos en la América Latina de la primera mitad del siglo XX. La tecnología se sacraliza y el cine elige muchísimas tradiciones que se suponían inamovibles, las perfecciona alegóricamente y destruye su credibilidad situándolas como meros paisajes melodramáticos o costumbristas. Dos o tres veces por semana las películas incorporan a un conocimiento global (rudimentario y fantasioso, pero irreversible) a comunidades aisladas que se modernizan a través de la imitación sincerísima o la asimilación a contracorriente, y adquieren un vasto repertorio verbal (frases hechas que son nuevos acercamientos a la realidad). El cine encumbra ídolos a modo de interminables espejos comunitarios, fija los sonidos del habla popular y se los impone a sus usuarios (quienes tal vez nunca los habían oído).

En la «alta cultura», se juzga la masificación un instrumento del apocalipsis («Y en aquellos días llegarán las masas y nadie querrá oír a Beethoven ni leer a Shakespeare»), mientras el «sentido de la realidad» se desplaza de la literatura a los medios electrónicos. A la pregunta «¿Qué es *lo real?*», también se contesta: aquello que involucra sentimentalmente a públicos muy amplios, las atmósferas y los diálogos que hacen las veces de eco de la conciencia, los personajes que odiamos y amamos al punto de la identificación plena, el cúmulo de circunstancias y productos teatrales, musicales, discográficos, radiofónicos, fílmicos, novelísticos, literarios, que para sus frecuentadores son «lo genuino» porque los alejan de la mezquindad y la circularidad de las vidas, «irreales» en su inmensa mayoría, esto es, no susceptibles de tratamiento cinematográfico.

Una comprobación entre muchas, la de Rosario Castellanos (en *El uso de la palabra*, Excélsior, México, 1970),
cuando describe los efectos del cine en su pueblo, Comitán,
indígena en un 70 por ciento:

El estreno del cine hablado. Esto ameritó la construcción de un edificio especial, el único en el pueblo que tenía
dos pisos. Las plateas eran el sitio reservado para la crema
de la crema; la luneta era propia de personas honorables
aunque no muy prósperas desde el punto de vista económico; los palcos estaban destinados a los artesanos y las ga-
lerías a la plebe, que armaba un gran escándalo, escupía y
tiraba pequeños proyectiles a los privilegiados de abajo. No
siempre se aguardaba el orden de los rollos y su alteración
volvía incomprensible la película. ¿Pero a quién podía im-
portarle semejante cosa?... Las relaciones del público con el
espectáculo al que acudían eran muy confusas. Les parecía
un juego sucio el hecho de que el protagonista que moría
en la película, acribillado a tiros, apareciera en la película
siguiente, bañado en agua de rosas. Pero lo soportaban como soportaban todas las arbitrariedades de que los hacían
víctimas las gentes de razón.

Y aun se dio el caso de una mujer, vendedora ambulante de dulces, a la que le hicieron la broma de que su
vida aparecería proyectada en el cine. Trató por todos los
medios de evitarlo, y cuando lo consideró imposible, comenzó a divulgar episodios que hasta entonces habían sido
ignorados. Se había vuelto loca y nunca recuperó el juicio.

Los productos de Hollywood, quimera a bajo precio, se
vuelven modelos del comportamiento ideal. Pero los pobres
no le confían a Hollywood su imagen y su sentimentalismo.
Para eso están el cine mexicano, y en menor medida, el argentino y el brasileño: así hablan, así se expresan, se mueven, se
comportan nuestros semejantes. Cada película «popular» ins-

tituye el canon acústico y gestual ante el cual, carentes de alternativas, los aludidos se van adaptando, creyendo genuina la distorsión. Los ídolos del cine son escuelas del comportamiento y a las películas se les concede el sitio antes ocupado por la hora del Ángelus (es cada vez más riesgoso enfrentar a las misas vespertinas con las películas de moda).

El cine de algún modo integra a comunidades disminuidas históricamente por el aislamiento. Y el espíritu moderno surge cuando el medio nuevo revisa las tradiciones. La intención es respetuosa pero los resultados son gradualmente devastadores porque, al amplificarse en la pantalla, lo ancestral se vuelve pintoresco. Sin que se aprecie debidamente, los métodos para conducir las emociones personales se trastocan gracias al cine, su sentido del ritmo, el uso de escenarios imponentes, los gags, la combinación de personajes principales y secundarios, la suma de frases desgarradas o hilarantes, el alborozo ante la repetición de las tramas, las dosis del chantaje sentimental.

En América Latina, y sin opciones posibles, el cine sonoro fija la primera, muy autoritaria versión moderna de lo que fastidia y de lo que agita las pasiones en las butacas. El salto es considerable: a través de los géneros fílmicos, los espectadores enfrentan a diario gustos antes inimaginables, perciben que las tradiciones son también asunto de la estética y no solamente de la costumbre y de la fe, se sumergen sin culpa en la sensualidad favorecida por las tinieblas, aprenden en compañía las reglas de los nuevos tiempos. Y se produce lo ya apuntado por el cine mudo, el casi monopolio en lo tocante a ideas y vivencias contemporáneas. Pocos leen, todos ven películas, y de allí extraen el sentido de «lo que va con la época», el registro de la realidad inminente, las modas que se abren paso entre las prohibiciones. No es lo mismo sufrir la pobreza como maldición («pobre pero honrado») que ostentarla como victoria sobre el individualismo; no es igual decir lo que se viene a la mente en un pleito conyugal que utilizar frases textuales de los melodramas o su equivalente («¡Si cruzas esa puerta te vas para siempre aunque te lleves mi corazón!»). En distintos niveles, el cine aproxima los sentimientos y las actitudes que en cada etapa parecen imposibles, y que en un plazo breve o no demasiado largo se legitiman. Antes de *The Wild One* y de *Rebelde sin causa*, los jóvenes incomprendidos son una pesadilla, después son un fenómeno impuesto por los tiempos. De allí lo indetenible de la migración cultural de los espectadores de cine, para ya no hablar de los cinéfilos. De la moda que se filtra con lentitud se pasa a la impregnación instantánea de poses o de posiciones radicales. De la paciencia o la resignación ante el entretenimiento aún dominado por la familia y la comunidad, se pasa a un lenguaje internacional de «idolatrías», de mitos que son fruto coral de la soledad erotizada o relajada por las imágenes de la pantalla.

La televisión: el arrasamiento de la privacidad

Una migración cultural fundamental en la segunda mitad del siglo XX: la que va del cine, espectáculo en sociedad, a la televisión, el regreso a la familia que modifica los antiguos métodos de manejo hogareño. Con la televisión cesa el diálogo audible entre un público y un medio masivo, surge un gestor y censor interesado (el *rating)* y el entretenimiento se vuelve dogmático, mientras amenaza al espectador: «O me ves o te quedas a solas con tus pensamientos.» Y esta migración es de larga resonancia especialmente en la provincia. Según algunos, la televisión es el gozo incontaminado que libra a la familia de los peligros de las calles; otros, muy pocos, la califican de «asedio de la inmoralidad» por desdicha imprescindible; a los defensores de la identidad nacional (tótem y tabú) les resulta el sinónimo menos cruento o más ameno de la fatalidad integracionista; la mayoría la asume con grati-

163

tud vehemente o distraída. Como sea, el aparato libera de las rutinas del aislamiento y, de muy diversas maneras, infunde en sus espectadores una certeza competitiva: «Es extraordinario lo que, en sentido positivo, nos diferencia de los ancestros, marginados de tales prodigios de la tecnología.» El cambio de hábitos modifica la noción del pasado, censurable en la medida en que carecía de pantalla chica. Y en la intención se transita del pasado monótono al porvenir sólo hecho de sensaciones divertidas.

La televisión acelera el culto por la sociedad de consumo, que de espejismo adquisitivo se transforma en mito primigenio. Es inútil resistir a su influjo. Las migraciones se vuelven sedentarias.

LAS MIGRACIONES DEL DESEO DE CAMBIO

La huida de la censura: «Basta con que lo prohíban para que me interese. Si lo siguen prohibiendo me apasiona»

Una migración cultural de primer orden es la de los sectores que ya encuentran irracional la censura, y la califican de «atentatoria de sus derechos en los espectáculos y la prensa». El proceso es complejo. En el siglo XX, la censura hace las veces del Súper Yo, de la vigilancia amorosa de las tradiciones, de la imposibilidad de vivir la madurez de criterio mientras no la compartan los niños de cuatro o seis años de edad. Entre otros menesteres, la censura exalta la hipocresía más deplorable, elige siempre la tontería por sobre la complejidad, impide el desarrollo de las temáticas por así decirlo «adultas», le infunde a través de cortes abruptos incoherencia o estupidez a cientos de películas, y diluvia amonestaciones contra los que se desvían de la norma (el final trágico es el colmo del regaño moral). Y la censura se atiene a la antigua creencia: las «perversiones» al entrar en el terreno de lo indecible, lo irrepresentable, lo invisible, desaparecen del planeta.

Con esto, el moralismo no se vuelve Lo Entretenido, pero sí envía a espectadores y lectores a extraer a contracorriente los estímulos intelectuales, estéticos, lúdicos. La complejidad posible se localiza en los intersticios del pacto de la industria con los representantes profesionales de la moral y las buenas costumbres, que a cambio del Nihil Obstat imponen sus exigencias fílmicas: un sitio de honor para los personajes sacerdotales, sermones ubicuos, arrepentimientos a gritos por los pecados que se pudieran cometer, close-ups de la Virgen María, explosiones de angustia a la simple mención del adulterio, peticiones incesantes de perdón a Diosito y a la mamacita de mirada siempre acuosa. Y, por supuesto, durante el auge de la censura, se intenta dar la impresión de sociedades donde el pecado es indetenible precisamente porque ocurre en la ficción, y la realidad tiende a ser el mundo de asechanzas alimentado por el chisme y adecentado por la sociedad de parejas y familias.

¿Aceptan o no la censura los espectadores? Una minoría decreciente la exige, los habituados a ella o no la registran o los divierte, y a una minoría en expansión les resulta ofensiva, inaceptable. Huyen de la censura los que protestan abiertamente contra su existencia, se niegan a ver películas pueriles y se ríen de lo ridículo de los cortes a películas por senos al aire libre, besos tórridos o mujeres «a punto de dar a luz» que no exhiben el mínimo abultamiento corporal. Lo más divertido para la industria y los espectadores es el desafío mañoso a los censores, las estrategias para enunciar las verdades del deseo y la sexualidad. Hasta donde le es posible, la cámara pone de realce lo condenado explícitamente en los diálogos, así en el forcejeo de lo visual y lo verbal se anule en gran medida la ambición de un cine crítico y complejo, y así

165

al disminuir la censura a principios de los años setentas el tremendismo se adueñe al principio del campo de las libertades expresivas. ¿Cómo se da el rechazo? En la primera mitad del siglo XX, poquísimos se oponen a la supresión de textos, escenas, canciones, y la mayoría apoya implícita o explícitamente la censura, «la voz de la sociedad en el cuidado de la conciencia». Ya para los cincuentas se inician movimientos de reivindicación que, no sin graves derrotas y retrocesos, van doblegando a los censores (la tríada que componen el Estado, la Iglesia católica y una representación gaseosa de la sociedad: «los padres de familia»). Desde los sesentas, se esclarece la escasa o nula «rentabilidad» de la censura, que influye a contrario sensu: basta el exhorto a no ver una película para que ésta sea un éxito de taquilla. Los sectores intelectuales se unifican en contra de mutilaciones y prohibiciones. Y por lo común, si la censura vuelve por sus fueros, es vencida por el criterio laico o por la mera imposibilidad de cerrar fronteras. (¿Quién detiene a los vídeo-cassettes?) El moralismo propicia chistes inesperados, y espectadores y lectores se fastidian de hallar a contracorriente los estímulos que requieren.

El ámbito televisivo es un gran escollo para los opositores a la censura. La televisión, inflexible en su defensa de la ortodoxia, suprime, niega, regaña, pero mantiene «zonas de tolerancia» donde se cuelan sistemáticamente los espectáculos que, en obediencia a las tradiciones de la componenda, la época permite y los espectadores, con discreción, exigen. No se puede controlar el fluir de imágenes, los consumidores mandan y la derecha sólo veta las provocaciones y audacias más ostensibles. (Si la industria televisiva no amplía periódicamente sus criterios, el espectador siente que la vida no transcurre.) Es imposible congelar un medio tan vital en las redes del integrismo, ya no es concebible que la censura siga siendo la gran aduana de las migraciones culturales, y paralice el libre tratamiento de los temas, la recreación del habla popular, la índole de los personajes, la naturaleza del humor, la presentación de heterodoxias legítimas del comportamiento, el distanciamiento del melodrama convencional. El cambio ocurre cuando no se admite ver los actos sensuales como a través del espejo. En el viaje de lo indecible y lo impensable a lo decible y lo interpretable, el espectador (que es el pueblo, que es a ratos el ciudadano) aprende a gozar de las libertades expresivas como si siempre le hubiesen pertenecido; hace de frases inocuas lemas de la obscenidad; se orienta sardónicamente con el recuerdo de las prohibiciones. Y el vídeo-cassette, al transferirle a cada persona la responsabilidad del criterio moral, liquida lo básico de la censura: su don del ocultamiento absoluto.

Ya para 1980 o 1985, a la censura de índole eclesiástica la frena la ubicuidad tecnológica. ¿Quién detiene las antenas parabólicas? Los obispos se resignan («Que los ricos se perviertan, al fin que entregado el diezmo todavía les sobra dinero»), y la censura sólo consigue adhesiones formales, confesiones de fe tradicionalista en las encuestas. Ésta sería la verdadera síntesis del proceso: «Yo no admito que en la televisión se proyecte lo que me entusiasma en la alcoba y en la imaginación.» Se cierra el viaje que va de lo prohibido a la necesidad de elegir entre el cúmulo de ofertas.

MIGRACIONES DE NACIÓN SENTIMENTAL

El rock y la búsqueda de un nuevo pasado cultural

En los años sesentas, las clases medias en América Latina hacen un terrible descubrimiento: ante la única propuesta cultural distribuida por doquier, la norteamericana, resultan anticuados o muy parciales los ofrecimientos culturales de que disponen. Por lo menos, así lo viven amplísimos sectores de jóvenes que, desde Elvis Presley, hacen del rock su vía de ingreso a la modernidad. Little Richard, Chuck Berry, Jerry Lee Lewis, Elvis Presley, sitúan mundialmente al rock, la sensación trepidante que reacomoda el tiempo vital. Ya se quiere vivir a otro ritmo, con el espejismo de la edad en el fondo. La juventud ya no será antesala de la condición adulta, sino lo opuesto: la etapa de autonomía corporal y anímica que impulsa otras experiencias del sexo (todavía machista, pero con un moralismo rebajado), y envuelve en un solo giro a la audición mística de los discos y a la marihuana, el ácido, las tradiciones prehispánicas (hongos, peyote, estados de trance), el esoterismo *(El libro tibetano de los muertos*, escritores marginales como Charles Fort) y la tradición oriental, tal y como se deja apresar en algunos libros y en las lecciones de «iniciados».

En casi todos los países latinoamericanos surgen fuerzas contraculturales y el rock repercute en la literatura, afectando a las nociones líricas. Los resultados son desiguales, extraordinarios o patéticos, pero un movimiento musical y narrativo dura años, funda comunas, hace de San Francisco, California, la meta, quiere actualizar a los hippies, oye con fanatismo (el único nivel aceptable de recepción) a Bob Dylan, los Rolling Stones, los Beatles, los Who, Janis Joplin, Jimi Hendrix, los Doors, James Brown, Credence Clearwater Revival, Led Zeppelin, cuyas letras *(lyrics)* se estudian con el apasionamiento debido a los clásicos intantáneos.

Durante una década, la perspectiva es religiosa (en el sentido amplio del término), y muchos no creen a John Lennon cuando en 1971, en su entrevista de *Rolling Stone*, sentencia: *«The Dream is over.»* Para ellos, el sueño perdura, porque, a partir de la música, se crea la primera alternativa *no política* a los regímenes y las tradiciones muertas y opresivas, y se generan las calidades rapsódicas de Bob Dylan, el acento orgiástico de los Rolling Stones, la poesía inesperada de los Beatles. Pesadilla o sueño, el rock cambia vidas y mentalidades. De 1960 a 1970, aproximadante, se ataca a los adictos al rock por su falta de nacionalismo. En cada país, se imponen versiones «nacionales» del rock, muy azucaradas debido a la censura social, eclesiástica y gubernamental. Y por eso la vanguardia juvenil extrema lo que, desde fuera, se califica de «desnacionalización». Pero los rockeros, muy específicamente, ven el inglés como el idioma de las visiones más significativas. La «americanización» (en rigor, la diversificación) es inevitable, en su caso no por simpatías políticas o afanes colonizados, sino por ser un trámite de eliminación de controles, la puesta al día de las sensaciones.

En los relatos donde el rock es atmósfera y destino, los personajes oyen discos como si atendieran profecías, y el paisaje acústico define la existencia. El ídolo es el Súper Yo, y el grupo predilecto es cultura familiar. Los jóvenes escritores, a diferencia de la generación anterior, formada en la literatura y el cine, ven en el ídolo el estilo-de-vida, y los personajes de sus relatos desean encarnar las cualidades atribuidas a los semidioses del rock, y viven para la frase incisiva, el desplante, el sexo experimentado como alucinación, la alucinación presentada como orgasmo, el desafío de la droga, la incomprensión del tedioso mundo de los adultos.

Algunos de estos libros (y sus fuentes, *The Catcher in the Rye* de Salinger, por ejemplo) se estudian como manuales de comportamiento. Decenas de miles de jóvenes asaltan el cielo del tradicionalismo con actitudes a la vez imitativas y originales, colonizadas y nacionalistas. Los conservadores protestan, la izquierda regaña... y el impulso de las conductas exacerbadas trasciende de inmediato los sermones moralistas: auge de las clases medias latinoamericanas (enfrentadas a un horizonte sólo abierto selectivamente), ensueños del consumo que difunden los medios electrónicos, implantación de la mentalidad capitalista entre las masas, crecimiento del nivel de desinformación.

LA GRAN MIGRACIÓN: EL FEMINISMO Y LA CONDUCTA DE LAS MUJERES

El proceso es lento, y los avances se filtran de modos con frecuencia insólitos. Apenas a fines de los treintas, y gracias a la cultura popular, le es dado a una mujer elogiar a un hombre. Celebra la mexicana Lucha Reyes al gigoló, *el tarzán:*

¡Qué rechulo es mi tarzán, ay mamá,
cuando me paseo con él!
Ay, se mira tan remono
con esos tirantes rojos,
esos pantalones flojos,
con esa caída de ojos,
su pelo muy ondulado,
muy bien envaselinado.
¡Mamá, me muero por él!

Esto, ahora costumbrismo divertido, en su momento es casi escandaloso, como tampoco se concibe que las mujeres usen cabello corto, fumen, se enfunden pantalones, pretendan derechos. Al avance femenino se resisten la Familia, la educación parroquial, la cultura laboral, los partidos políticos, la Iglesia católica, en suma, el conjunto denominado «moral y buenas costumbres» que se opone incluso a la educación de las mujeres atenido al refrán: «Mujer que sabe latín, ni tiene marido ni tiene buen fin.» Todo resiste al ejercicio de los derechos femeninos y la mayoría del «sexo débil» está de acuerdo en seguir siéndolo.

El salto mental representado por las sufragistas obstinadas en conseguir el voto se continúa desde los años sesentas con la feminización de la economía, y se amplía desde 1970 al trasladarse las teorías feministas a Latinoamérica. Se traducen textos de los movimientos norteamericanos (sobre todo), franceses, ingleses, italianos, se hace la crítica del doble estándar, se revisa la historia, se rechaza el sitio otorgado por las costumbres. Al comienzo, marcado por el rechazo al lenguaje sexista, sólo actúan un puñado de mujeres de clases medias, que extrema su audacia al exigir lo inconcebible: la despenalización del aborto.

En tres décadas, el cambio es asombroso. Así no se asuman feministas, la mayoría de las mujeres urbanas incluye en su comportamiento planteamientos que suponen una teoría y una práctica de los derechos antes impensables. (En el universo campesino el proceso es más lento.) El derecho al voto fructifica en la presencia –todavía no muy caudalosa– de las mujeres en política, aunque en puestos menores las más de las veces. La violación, aceptada en el fondo como típico «derecho de pernada» de los machos, revela su condición monstruosa, y aumentan las penas contra los violadores. Muy poco se consigue en materia de leyes que examinen más racionalmente el derecho de las mujeres sobre sus cuerpos, pero en vastos sectores se da la despenalización moral del aborto. Como movimiento organizado, el feminismo no es muy amplio, pero avanza con rapidez como atmósfera de reconsideración del comportamiento de las mujeres y de rectificación social y jurídica. Y si la derecha aún influye en la idea pública que las sociedades tienen de sí mismas, su discurso se perpetúa aritméticamente en medios donde, en materia de costumbres, casi todas las progresiones son geométricas.

Lo masculino y lo femenino al fin del milenio

Es el mediodía, el metro va atestado y el joven se siente a sus anchas, le gusta ser cómo es, le fascinan sus atavíos, le apasiona su *look*. Si se detuviera a meditar, o si en el metro hubiese espacio mental a su disposición, aceptaría vivir la felicidad expansiva, aquella donde no existen los problemas y por eso la llaman plenitud. Por lo menos ahora, la pasa bien siendo él mismo, y eso que ya no dispone del estanque en donde se reflejaba su narcisismo, me refiero por supuesto a la mirada ajena, que condenaba y rechazaba a los jóvenes nomás por el aspecto. Pero eso fue cuando había tiempo para aquilatar a los demás. Él todavía recuerda las que pasó su hermano mayor cuando empezó a usar arete. De maricón no lo bajaba su padre, qué fachas son ésas, si te viera tu madre desde el cielo (ojalá que desde allí lo viera, no que se pasa el tiempo en la cocina).

En el recuento de sus propiedades físicas, el joven se cerciora de lo adecuado de su elección de arete; el que esplende en su oreja es magnífico, como de pirata de película. Y, además, sí que redituó el tiempo invertido en peinarse, su cabellera es magnífica, el otro día le dijeron que de espaldas parecía una rumbera cubana de los cuarentas. ¡Qué buena onda! Y por cierto, óiganme, él no duda ni por un segundo de su virilidad, pero ya no quiere el aspecto de su padre o de sus tíos o de sus abuelos, el arete erotiza a las jóvenes y el cabello muy largo les parece tan seductor que con tal de acariciarlo...

La joven no gasta ni un segundo en la elección de su vocabulario. ¡Carajo, coño, chingada madre! Ya pasó el tiempo en que las mujeres en presencia del Sexo Fuerte extraían las palabras como si se probaran anillos. ¡Putísima! Mira que sus antepasadas del pleistoceno hablaban como si decorasen un paisaje de las buenas costumbres. Se la pasaban alegando: «No me faltes al respeto. Dame mi lugar. No uses esas palabras delante de mí. Dame mi lugar.» Carajo, como si el lugar de una dependiera siempre de los demás y no de una misma, y como si las palabras despojaran de la virginidad, o como si la virginidad suprimiese el uso libre de la palabra. Ella tiembla nomás de imaginarse las incomodidades de las «muchachitas decentes», y eso en la capital, no en provincia que la falda bajada hasta el huesito y la mirada en el piso. Pero en las ciudades ya sólo las amantes de la incomodidad practican la militancia de la falda el día entero, y se someten a la rigidez. El pantalón es más femenino que la falda, carajo, o es más cómodo, y lo más femenino es la mezcla de la moda con el andar a gusto. Así es, cabrones, y la chava se desplaza en el territorio libre del habla, allí donde no hay el miedo que sí tiene cuando anda sola, sólo se acuerda con angustia de su condición de mujer cuando nadie la acompaña. A determinadas horas y en numerosos sitios la ciudad es muy precisa: lo femenino es quedarse en su casa, y lo masculino es salir afrontando los riesgos.

A estas alturas, sólo una minoría conspicua se atiene a las definiciones tradicionales de *lo masculino* y *lo femenino*, las antiguas metas inapelables hoy tan flexibilizadas por la masificación. No es que se viva una crisis de identidad en *el Hombre* o en *la Mujer*, sino, tan sólo pero eso es suficiente, se vienen abajo los códigos de conducta que regían *lo masculino* y *lo femenino*. Antes, en el pasado que enturbian o aclaran los recuerdos fílmicos, él era o debía ser el Macho, y ella interpretaba a la Sufrida Mujer. Los arquetipos y los estereotipos se han ido disolviendo, por lo menos en las grandes ciudades, en donde el cine, espejo de las nuevas costumbres, jubiló una versión de *lo masculino* (por ineficaz y premoderna) y otra de *lo femenino* (por inaplicable y estorbosa).

¿Cómo se da este proceso? Véase por ejemplo la apariencia. Al prodigarse los travestis, la «vibración de sonatina pasional» asociada con la mujer se torna enigmática. Al principio los travestis le copian todo a las mujeres, pero, al juzgarse inoperante la imagen ancestral de lo femenino, tal parece que con tal de construir su comportamiento ideal los travestis y numerosas mujeres le copian todo... a los travestis, últimos depositarios de los secretos y las técnicas de presentación y los guiños y las tácticas de la femineidad. En shows o programas de televisión, la influencia notoria de las cantantes de moda es la de sus imitadores, los travestis. *Loopin' the loop.* La parodia resulta el modelo de la identidad ultrafemenina. La coquetería es hoy el dominio del *female impersonator.* Y a la coquetería, fruto de la intuición, la sucede la técnica de lo femenino.

Otra fuerza disipadora de las categorías de *lo masculino* y *lo femenino* es, en relación con lo anterior, la teatralización de la identidad. ¿Qué es el Marlboro Man sino una dramatización de la masculinidad a lo John Wayne? Allí está el hombre rudo, enfrentado a los elementos naturales, vigoroso como la doma de caballos y atento al golpe del viento en los close-ups. ¿Qué es Madonna sino el aprendizaje asiduo de Marilyn Monroe a la hora de la clonificación de los mitos? Dolores del Río y Pedro Armendáriz no *escenificaron* la femineidad y la hombría: así los veamos por entero teatrales, su tarea, asumida con naturalidad, fue encumbrar a los arquetipos, concediéndoles la envoltura perfecta. Y, al ir pasando de moda estas apariencias, el anacronismo afectó a las virtudes tradicionales. «Si te sigues vistiendo así, te vas a portar como tu abuelita.» El vestuario inspira y ordena la conducta. De allí en adelante, es acelerado el cambio de comportamientos

174

previsibles o exigibles. La ambición desplaza a la resignación, el sentido del sarcasmo (propio o ajeno) erosiona a los Machos sin Concesiones, las libertades personales entran en pugna con los roles implantados históricamente. Y al extenderse la tolerancia, descrita como el respeto a la diversidad y como la capacidad de coexistencia con lo «prohibido», pierden densidad y convicción los dogmas de *lo masculino* y *lo femenino*. Una de las migraciones culturales más extraordinarias es la de la identidad femenina. Lo masculino se modifica sin duda alguna, estar bajo las órdenes de mujeres es trastornar las jerarquías psíquicas, no compartir los quehaceres doméstico es precipitar el divorcio, no es ya tan arduo aceptar la democratización hogareña, si el hombre y la mujer trabajan que la guardería sea el juicio salomónico, hasta aquí todo es negociable, pero el gran cambio ocurre en el espacio del sojuzgamiento histórico. Todavía en los treintas, Lucha Reyes canta: «Como buena mexicana sufriré el dolor tranquila», y en los cincuentas la modernidad, al renovar la vida doméstica, parece el paraíso concebible, pero progresivamente *lo femenino*, para quienes se oponen a las libertades corporales, es un acto de nostalgia recalcitrante. *Ya no hay mujeres así*, como las de 1900 o 1940, porque para que hubiera mujeres así la femineidad debería ser un museo con pretensiones de campo de concentración, mientras que si se eleva la identidad masculina al rango de noción imperturbable, se la militariza. Pancho Villa se resiste al sueño para no despertar, como un Gregorio Samsa heterodoxo, usando los mismos pantalones que la Adelita o, más modernamente, alternando con travestis en la televisión.

Aún no son flexibles y plenamente racionales (es decir, al gusto del usuario) las identidades carcelarias de lo masculino y lo femenino. Pero ningún abuelo se reconocería en sus nietos, y padres y madres se sienten ya un tanto derrotados por las habilidades tecnológicas de sus hijos. De estos desen-

175

cuentros se nutre una certeza: *lo masculino* y *lo femenino*, en sus versiones ortodoxas, sólo seguirán invictos si continúan siendo los espejos distorsionadores de la opresión.

LAS MIGRACIONES ESPIRITUALES

De la única fe a la explosión demográfica de credos

En el siglo XVI, según ha demostrado Lucien Fevre, no se concibe la existencia de ateos. En el siglo XIX el clero católico libra (y pierde) su gran batalla en pos de la hegemonía absoluta, y todavía a mediados del siglo XX es inconcebible en América Latina la proliferación del protestantismo y el agnosticismo. La tradición está a favor de tal presunción. «Dios nos hizo iguales, ¿quién nos quiere diferentes?» Así por ejemplo, en 1857 en el período de la Reforma Liberal, en el primer debate para la nueva Constitución de la República en México, sólo hay un voto en favor de la libertad de cultos. (Muy poco después se aprueba.) Y en Colombia, en la Constitución de 1886, el artículo 38 es tajante: «La religión Católica, Apostólica, Romana es la de la nación: los poderes públicos la protegerán y harán que sea respetada, como esencial elemento del orden social.» Y en 1887 el complemento de la Constitución es el Concordato con la Santa Sede. Véase su artículo 13:

> Por consiguiente, en dichos centros de enseñanza los respectivos ordinarios diocesanos, ya de por sí, ya por medio de delegados especiales, ejercerán el derecho, en lo que se refiere a la religión y a la moral, de inspección y revisión de textos. El Arzobispo de Bogotá designará los libros que han de servir de textos para la religión y la moral en las

universidades; y con el fin de asegurar la uniformidad de las materias indicadas, este prelado, de acuerdo con los otros ordinarios diocesanos, elegirá los textos para los demás planteles de la enseñanza oficial. El gobierno impedirá que en el desempeño de asignaturas literarias, científicas y, en general, en todos los ramos de instrucción, se propaguen ideas contrarias al dogma católico y al respeto y veneración debidos a la Iglesia.

En 1896, en Perú, se presenta un proyecto de ley que regula la inscripción de los matrimonios no católicos en los registros del estado civil, con todos los efectos legales. Una comisión del Senado propone modificar el término «no católicos» por «extranjeros», ya que «obviamente» todos los peruanos son católicos. El senador Tovar niega tal afirmación: no todos los son. El arzobispo Bandini publica una pastoral contra el registro civil, y solicita de la Presidencia de la República que anule el proyecto de ley. El episcopado se lanza contra las reformas secularizadoras, ya que «el matrimonio civil reduce el vínculo a la categoría de contrato humano y perjudica gravemente a la mujer». Se aprueban los matrimonios no católicos, y el sacerdote y diputado V. Pacheco, al fundamentar su voto contrario a la ley, señala los graves problemas que esto le traerá al Perú porque

Es altamente subversivo y contrario a la consolidación del orden público, desgraciadamente tan vacilante e inseguro, después de la penosa lucha que hemos atravesado. Nadie podrá negar que la Patria peruana es en su totalidad católica, y que acaso uno de los bienes con que aún la favorece la Provincia, es la unidad religiosa; y como la ley que se trata de sancionar destruye esta áncora de salvación que aún le queda, me opongo a ella (en *Iglesia y poder en el Perú contemporáneo 1821-1919*, de Pilar García Jordán).

177

Esto en cada uno de los países. Se logran espacios de reflexión crítica y libertad de expresión, pero no mucho más. La intolerancia religiosa sigue al frente, como lo demuestra la persecución a los protestantes en nombre de la «defensa de la identidad nacional». La religión católica es omnímoda, los otros credos son minoritarios en extremo y la hostilidad antiprotestante se vierte en campañas de odio con gran costo de vidas y propiedades. Pero desde 1960 se produce una transformación inesperada. Por causas que van de la gana de pertenecer a una comunidad compacta al abandono del alcoholismo, millones de personas se convierten en América Latina a las religiones evangélicas, en especial el pentecostalismo, y los credos paraprotestantes (Mormones, Testigos de Jehová). Los obispos y los antropólogos marxistas hablan despectivamente de las «sectas» y de la traición a la Identidad, pero el número de conversos crece en Brasil, Chile, Centroamérica, México, Perú.

Al mismo tiempo, convicciones ya existentes (el espiritualismo, el esoterismo) multiplican a sus creyentes y el éxito del New Age obsesiona a la jerarquía católica. A fines de siglo, el catolicismo, en sus distintas vertientes, es sin duda mayoritario, y suscitador de la fe pública en ocasión de visitas papales, pero en América Latina ya se han institucionalizado otros credos (el budismo incluso) o son simplemente agnósticas millones de personas. Y el pluralismo se ejerce en medio del anuncio cíclico de «la nueva evangelización de América Latina» a cargo del episcopado católico.

Del rancho al Internet

La moda y la gran necesidad en América Latina de hoy es la tecnología de punta, el estar al día en informática, el renovarse según los ritmos y demandas estructurales de la globalización. Una palabra, Internet, resume preocupaciones y obsesiones, y se ofrece como la deidad inapelable, la gran comunidad virtual de la concentración y las ampliaciones del mundo. Si la realidad se entiende como el ir y venir de los *home-computers* y la globalización, y si la hiperrealidad es la nueva tierra prometida, la tecnología será la partera de las nociones del futuro. El pasado disminuye y el porvenir se agiganta. El subcomandante Marcos, en la Selva Lacandona, usa del Internet para no aislar su movimiento. A escala individual, el Internet es el símbolo y la práctica de la globalización, del leer en la mañana los contenidos de las principales publicaciones del mundo, de pertenecer a una cofradía ajena al habitual sentido del tiempo, de navegar por el ciberespacio con la emoción de personajes de Julio Verne o, más adecuadamente, de William Gibson.

¿Y qué hacen los habitantes de los ranchos (en la versión de pobreza rural de México y de pobreza urbana de Venezuela o Colombia)? Se saben ante otro episodio de la infinita cancelación de alternativas que constituye su vida, ante otra exclusión colosal. «No se podrá vivir sin conectarse a la red», reza el nuevo proverbio. Hoy el 20 por ciento más rico de la población mundial acapara el 93,3 por ciento de los accesos a Internet, frente al 20 por ciento más pobre, que apenas dispone del 0,2 por ciento de las líneas. En el siglo XX la vida latinoamericana ha consistido en gran parte en la resistencia a la alternativa única, que extingue opciones con ferocidad. Hoy, cuando las alternativas se concretan, el derrumbe de las economías amenaza con destruir, o destruye en efecto, mucho de lo avanzado. Los procedimientos de la televisión le devuelven a la sociedad el carácter homogéneo de que tan penosamente se había desembarazado, las promesas de la globalización se estrechan y se concentran monopólicamente, lo que excluye se disemina por doquier y lo que incluye apenas sobrevive. Y las antiguas quejas y los lamentos proverbiales ya no operan, disueltos en la ironía posmoderna. Ante las devastaciones, algunas certezas permanecen, todas ellas correspondientes a los grandes cambios positivos. No las difundo ahora para no oponerme al esplendor del pesimismo.

PROFETAS DE UN NUEVO MUNDO

VIDA URBANA, MODERNIDAD Y ALTERIDAD EN AMÉRICA LATINA (1880-1920)

En el período 1880-1920, a los liberales, profetas de la democracia y la tolerancia, los suceden en el ámbito cultural escritores que combinan dos augurios: «la libertad por el Espíritu» (la cultura) y el estreno de sensaciones y actitudes, el *nouveau frisson* y la búsqueda de una plena occidentalización cultural. Si bien los poetas son los que mejor encarnan a los visionarios, intervienen también los ensayistas e incluso los pensadores radicales. Se entreveran Rubén Darío y José Enrique Rodó, Alfonso Reyes y José Ingenieros, Pedro Henríquez Ureña y los anarcosindicalistas encabezados por Ricardo Flores Magón, Julián del Casal y Alfonsina Storni. Las diferencias son amplísimas, pero se comparte la necesidad de radicalizar el cambio y modificar el rumbo del Progreso, sea por insistir en los valores humanistas en medios que se jactan de su atraso, sea por la celebración de los sentidos, tan temida y combatida por el tradicionalismo.

Los profetas, si tal nombre se les quiere dar, estimulan en sectores significativos la búsqueda de ideales desprejuiciados, defienden y argumentan los otros modos de ser y de pensar, le consiguen el espacio posible a la diversidad y a la noción de futuro que cabe y se expande en los actos y los pensamientos disidentes. Son minoría, pero en la reconstrucción histórica sus obras y sus actitudes iluminan la resistencia posible en su época a un cúmulo de obstáculos: la ideología de la superioridad de clase y raza, las inercias gubernamentales, el regocijo burgués ante el atraso de las clases populares, la intolerancia, el ahogo de la protesta política, las condiciones de semiesclavitud en el campo, la inexistencia social y política de las mujeres, el odio a los comportamientos legítimos pero ajenos a la norma.

Algunas de las profecías se cumplen con rapidez, otras son prevenciones de utilidad notoria, otras dan fe de comportamientos límite que generan por sí mismos ámbitos de admiración y en última instancia de respeto. Algunos profetas disponen de un discipulado amplísimo, otros son leídos sin las claves sólo adquiribles treinta o cuarenta años más tarde. Y todos reciben su cuota de excomuniones, sea por el rechazo y la indiferencia a su trabajo, sea por la alabanza y las campañas de odio. A la mayoría terminan comprendiéndolos, tal vez perjudicando su intención radical. «No me dejéis morir sin la esperanza de ser incomprendido», escribió Oscar Wilde.

El demonio y el ángel

Un mexicano, Antonio Plaza (1832-1882), es el primero en cantarle a las prostitutas, humanizándolas a través del dicterio y la adoración. Los que se conmueven ante sus versos admiten el patrimonio desconocido: la sensibilidad que se inicia con el «amplio criterio»:

A una ramera

I

Mujer preciosa para el bien nacida,
mujer preciosa por mi mal hallada,
perla de solio del Señor caída

y en albañal inmundo sepultada;
cándida rosa en el Edén crecida
y por manos infames deshojada;
cisne de cuello alabastrino y blando
en indecente bacanal cantando.

[...]

VI

¿Eres demonio que arrojó el infierno
para abrirme una herida mal cerrada?
¿Eres un ángel que mandó el Eterno
a velar mi existencia infortunada?
¿Este amor ardiente, tan interno,
me enaltece, mujer, o me degrada?
No lo sé... no lo sé... yo pierdo el juicio.
¿Eres el vicio tú?... ¡Adoro el vicio!

Plaza es un desafío que recogen quienes lo vuelven un best-seller de la época: obreros airados, bohemios, mujeres de la mala vida, analfabetas o cuasianalfabetas capaces de memorizar largos poemas, artesanos de tendencias liberales, excombatientes, ex seminaristas. El «nuevo estremecimiento» los sacude al reconocer que una prostituta es susceptible de homenaje y de entrega. «¿Eres el vicio tú? Adoro el vicio.» El verso retorna hecho consigna. En los márgenes de la sociedad brutalmente solemne, los románticos lanzan la profecía de las modificaciones anímicas.

De la misa negra como éxtasis corporal

En el fondo de la nueva sensibilidad, tan determinada por la literatura, interviene, como en todos los procesos del período, el reclamo de la secularización, el tránsito de los juicios generados por la religión a los juicios aprehendidos en la convivencia (con una buena dosis de influencia religiosa). ¿Cómo imprimirle la fluidez del laicismo a la sociedad estructurada por principios católicos? La gran ciudad, el centro y la meta de las Repúblicas, es el único espacio donde se ejercen las libertades de comportamiento, más bien escasas de acuerdo con el criterio actual, todavía compuestas de miedos reverenciales, pero ya pobladas con ejercicios del desenfado y satisfacciones corporales calificadas de «licenciosas» (antes, por supuesto, habían existido, pero sin el asidero de la legalidad). En el contexto, la secularización no es sólo tolerancia de cultos o libertad de cultos, no es únicamente la existencia del matrimonio civil y, Dios no lo quiera, del divorcio, no es nada más la suma de panteones civiles y seres que no profesan religión alguna (llamados en los censos de Perú «confusionistas», adelantándose al nombre que los ortodoxos del marxismo aplicarán a quienes interpreten de modo inconveniente el talmud de la doctrina de Marx); la secularización –y lo que enuncio con tranquilidad debe acompañarse del coro de las almas perdidas– es también proceder como si el infierno no existiese, es actuar como si el cielo y el infierno fuesen dependencias terrenales localizadas en el orgasmo o en la separación del ser amado y ya nunca más posible.

En el horizonte de la modernidad a que se aspira en esta etapa, la vida urbana va siendo inteligible gracias a los deleites psicológicos antes sólo accesibles a través de la observancia de los preceptos. Si el infierno le resulta a muchos provincianos el tedio abominable de la circularidad y la vigilancia policíaca de las costumbres, que los obliga a irse a la gran ciudad, el laicismo avanza; si la mujer legítima es un ser desexualizado, el trámite de la obligación «para cumplir como Dios manda», la secularización es irresistible. Y los poetas describen el nuevo paraíso, el de las sensaciones. Escribe Darío: «¡Carne, celeste carne de la mujer! Arcilla / –dijo Hugo–; ambrosía más bien, ¡oh maravilla!» En 1898, el mexicano José Juan Tablada (1871-1945) publica, en una revista de la que es director literario, «Misa negra», un poema modernista de ánimo «libertino»:

Toma el aspecto triste y frío
de la enlutada religiosa
y con el traje más sombrío
viste tu carne voluptuosa.

Con el orgullo de los rezos
quiero la voz de tu ternura,
y con el óleo de mis besos
ungir de diosa tu hermosura;

Quiero en las gradas de tu lecho
doblar temblando la rodilla
y hacer el ara de tu pecho
y de tu alcoba la capilla...

¡Y celebrar, ferviente y mudo,
sobre tu cuerpo seductor,
lleno de esencias y desnudo
la Misa Negra de mi amor!

«Una piedra en medio de la fiesta.» A la interminable ceremonia de la Respetabilidad que se obtiene con el Espíritu Devoto, la sacuden unos versos donde se trasladan a la alcoba las «Salmodias reverentes» de los templos. Si el cuerpo femenino es un ara, la penetración es un doble sacrilegio. No sólo se fornica sin propósitos demográficos, también se inviste de sacralidad a la pareja para luego desacralizarse en el coito. Un cortesano le avisa de «la blasfemia» a doña Carmelita Romero Rubio, la esposa del dictador Porfirio Díaz, y la respuesta es furibunda. Se regaña al director de la publicación, y éste promete no editar textos similares. Pero el «daño mo-

185

ral» está hecho. Comenta José Emilio Pacheco en su excelente *Antología del modernismo:*

... podría decirse que la misa negra es el reverso del matrimonio sacramental. En ella el deseo se hace diabólico al convertirse en un fin y no –como fue instituido por el cristianismo– en un medio de multiplicación. La misa negra, pues, representa para los pueblos de cultura cristiana la sacralización del erotismo: el uso no biológico de la sexualidad. Por ello el texto de Tablada significa en 1898 el desafío de la joven generación frente a nuestra sociedad católica y frente a la oligarquía positivista. En ese sentido se trata del primer poema mexicano que podemos llamar en rigor «erótico», no una simple celebración del amor físico semejante a las que encontramos en Manuel M. Flores...

Tablada se defiende, y exhibe el temperamento desafiante, hecho posible por las Leyes de Reforma y la separación de Iglesia y Estado, pero también por la ambición literaria. El director de la publicación exhorta a Tablada y le indica la conveniencia de escribir para México y no para Montmartre. Le insiste: la fórmula tabladiana del «Arte a ultranza» acabará con suscriptores y anunciantes. Tablada se empecina:

¡Pero fue en vano! Solamente ofrecí renunciar a la dirección literaria antes de sacrificar mis convicciones artísticas y, convencido íntimamente de las razones administrativas, arremetí contra el público en una carta... En dicha carta condenaba yo esa hipocresía grosera de un público que tolera garitos y prostíbulos en el corazón de la ciudad... y se escandaliza ante la lírica vehemencia de un poema erótico; lamentaba el que la literatura tuviera que refugiarse como furtiva en una página de los diarios y estuviera sujeta a la censura de suscriptores y anunciantes... (del libro de memorias *La feria de la vida)*.

En la poesía se filtra poderosamente lo que la Iglesia católica y los Hombres de Pro han querido desterrar para siempre: el salto de lo indecible a lo escrito, de «lo prohibido» a su configuración artística. Muy probablemente, antes de «Misa Negra» decenas de miles de «espíritus románticos» en América Latina se inclinan sobre el cuerpo de la amada profiriendo «obscenidades» (si no calificaban así sus palabras, ¿para qué decirlas?), y creyéndose ante un altar de placer practican el sacrificio «místico» de la virginidad ideal o real de la pareja, la «misa negra» en suma. Pero mantienen en el silencio su ocurrencia, guiados por la premisa: en donde la Palabra impera, lo que no se nombra no existe y no es castigable. Al verbalizarse, la profecía de «las herejías carnales» deviene opción de conducta. Una vez enunciado, el erotismo no regresa a su lugar, y Lady Chatterley no necesita a Freud para enterarse: las distancias de clase son parte esencial del atractivo del guarda Jacques Mellors. Quince años después de Tablada, el mexicano Efrén Rebolledo (1877-1929), profeta del deseo insaciable, va al límite de lo permitido en «El beso de Safo», su descripción del amor lésbico:

Más pulidos que el mármol transparente,
más blancos que los blancos vellocinos,
se anudan los dos cuerpo femeninos
en un grupo escultórico y ardiente.

Ancas de cebra, escorzos de serpiente,
combas rotundas, senos colombinos,
una lumbre los labios purpurinos,
y las dos cabelleras un torrente.

En el vivo combate, los pezones
que se embisten, parecen dos pitones
trabados en eróticas pendencias,
y en medio de los muslos enlazados,
dos rosas de capullos inviolados
destilan y confunden sus esencias.

De *Caro Victrix*

La estrategia es clásica: que las audacias del comportamiento se filtren a través de la estética, redentora de la inmoralidad. Rebolledo abstrae la sexualidad y la «anomalía», y se queda con formas puras y cambiantes, en rigor una red de metáforas entrelazadas. Sólo así se da entrada al «safismo» de dos vírgenes estrictas, porque no han conocido varón: «... dos rosas de capullos inviolados / destilan y confunden sus esencias». Ante esto la censura, que sólo se indigna ante las provocaciones obvias, nada tiene que oponer. No comprende la retórica y, en todo caso, le está prohibido entrar en detalle, porque eso equivaldría a vociferar lo innombrable. Lo más eficaz para los «guardianes de la honra social» es continuar la práctica del silencio que aísla.

Nada más incomprensible para la sociedad de 1916 que el lesbianismo; nada más susceptible del tratamiento «exótico» que un lecho compartido por iguales (si son mujeres). Y en este proceso de volver comprensible lo impensable, influye una gran lectura liberadora en América Latina: la poesía francesa, en especial los simbolistas. De los franceses los latinoamericanos toman el entusiasmo corporal, y en esta materia Rimbaud es un paladín: *«O splendeur de la clair! O splendeur idéale!»* Lo indecible se convierte en el descubrimiento de lo poseído por la Palabra, capaz de asir el esplendor de la carne, el esplendor ideal. ¿Cómo no dejarse avasallar por poemas como «Sol y carne» de Rimbaud?

¡Oh! ¡El Hombre ha erguido libre y altiva su cabeza!
¡Y el rayo súbito de la belleza primera
hace latir al dios en el altar de la carne!
Feliz por el bien presente, pálido por el mal sufrido,
el Hombre quiere sondearlo todo, ¡quiere saber!
¡El Pensamiento, ese caballo largo tiempo refrenado,
se desboca en su frente! ¡Él sabrá Por Qué!...

El Pensamiento piensa lascivias, y los latinoamericanos escuchan la profecía. Por su función múltiple en el territorio aún sojuzgado por el culto a la Palabra, los poetas, antes que nadie, ofrecen versiones victoriosas del cuerpo, y hacen del desnudo una hazaña de los sentidos. «Como Dios nos trajo al mundo» es la imagen que participa del poderío divino, algo muy relevante cuando lo habitual es cubrirlo todo. Gracias a las licencias de la moral laica, los poetas ubican otra utopía, la del instinto. En estos miradores, la Nueva Atlántida es el cuerpo ardiente en el lecho. Y otra vez Rimbaud provee la consigna arrasadora: «Hace falta ser absolutamente moderno.»

Con Baudelaire, Rimbaud, Verlaine y Mallarmé se filtra en la cultura latinoamericana «la mirada del extraño», del *outsider* que aporta formas y conceptos «heréticos». Como señala Wallace Fowlie, en su análisis de los vínculos entre Rimbaud y Jim Morrison, fue necesario en ese momento de fines del siglo XIX creer en los nexos entre un poema y la magia o el *sortilège*, para usar la expresión francesa. «Un poema surge a través de un proceso que, como la alquimia, es mágico y por tanto extranjero a las reglas de la lógica e incluso a las reglas del instinto.»

La sensibilidad que emerge en el período finisecular, en mucho depende —lo señala Jamake Highwater en *The Mythology of Transgression*— de las aportaciones de bohemios excéntricos y políticos radicales. Esta sensibilidad, en América Latina, sorprende al romper con la entraña de la vida burguesa:

189

su afán de parecerse a sus correspondientes en las metrópolis, y por destruir los lazos «perennes» entre persona y cultura, entre tradición e idiosincrasia. En Santiago o Lima, en Buenos Aires o en México, los bohemios se rehúsan a cumplir lo exigido a personas cultivadas y buscan inventarse otro aspecto, otra personalidad, otras metas valiosas. La sensibilidad a la que aspiran, y a la que le van dando forma, demanda *voces* singulares (por voz se entiende el ofrecimiento del estilo, el abandono inimitable de la tradición). A diferencia de los burgueses, los profetas bohemios no pretenden convertirse a sí mismos en obras de arte, para así legitimar sus pretensiones aristocráticas. Más bien, desechan la mera idea de *la normalidad*, y se proponen carecer de referentes.

La nueva sensibilidad, y nadie lo sabe mejor que Oscar Wilde, si quiere arraigar debe proceder a través de paradojas. «Puedo resistirlo todo menos la tentación», es frase que indica la mirada distinta, regocijada ante la inversión sistemática de términos. El culto por la paradoja trasciende las fronteras del buen gusto y los códigos de mesa y de salón, y se interna en lo desconocido: ¿qué pasa cuando uno renuncia a las buenas maneras?, ¿quiénes serán y por cuánto tiempo los acompañantes de la aventura? Desde la perspectiva de la seguridad personal, lo más conveniente para estos *outsiders* es ser tomados como excéntricos, locos a fin de cuentas inofensivos. Eso en gran medida los salva de la represión

No hay tal lugar. O si lo hay, si existe la utopía, es asunto de dos personas a solas

La utopía por así decirlo permisible mide su eficacia de acuerdo con los cambios sociales. De esto se deslinda la utopía de los profetas por así decirlo *ilícitos*, los que fomentan el sueño individual y colectivo de la otra tierra de promisión, el cuerpo de la persona amada, la inmensa mayoría de

190

las veces cuerpo femenino. A la representación del cuerpo masculino la alejan la «pudibundez» forzada entre los hombres (que son los escritores) y –cortesía de la censura– la inhibición en las mujeres no tanto del deseo como de su representación elocuente y gráfica. Tal vez un psicoanalista del pasado habría dicho: ¿Qué son las monjas posesas sino insatisfechas que transfieren su avidez incontenible al cuerpo del crucificado? Y los que optan por el silencio o musitan sus afanes lascivos todavía pueden, sin embargo, sentirse dentro de la sociedad. Lo otro, la profesión pública de la diversidad, le corresponde al puñado que no tiene nada que perder, al darse por descontados su impudicia, su obsceno frotadero corporal en las madrugadas, su refocilarse en el coito como el revolcadero en el fango. En la vida urbana, los pobres y el lumpen son los primeros «secularizados desde fuera», al margen de su relación con la teocracia, por ser los primeros a los que, por su aspecto y su condición social, se juzga «dejados de la mano de Dios». ¿O no se les dice en México a los integrantes del lumpen «pelados», por carecer de toda vestimenta, la moral y la aceptable socialmente?

El amor al que no le permiten atreverse

Un profeta de esos años, y al que no se le habría otorgado jamás ese título, es Oscar Wilde. En América Latina, el profeta por excelencia es Víctor Hugo, admirado hasta el delirio por su poesía, sus novelas de formidable denuncia *(Los Miserables* es «una biblia de la toma de conciencia»), su defensa de las libertades desde el exilio. En el extremo opuesto, Wilde es el profeta proscrito por sus «actos indecentes», el preso de la cárcel de Reading, el poseedor del ingenio perfecto, el poeta, el dramaturgo feliz, el mayor talento aforístico, el creador de *El retrato de Dorian Gray,* la metáfora aún hoy victoriosa sobre la doble vida.

En el período que nos ocupa, el instrumento de control perfecto, el gran dispositivo de aniquilamiento, es la invisibilidad social que castiga jerárquicamente a los pecadores, y se exacerba con las «abominaciones». Si las prostitutas son las «mujerzuelas», las que degradan la condición femenina, los invertidos son la escoria, lo propio de la resaca de la vida y del lenguaje, y se requiere del proceso a Wilde y el escándalo mundial consiguiente, para que el término «homosexual», ya presente en la literatura médica, ingrese al idioma de los ilustrados y el «vicio nefando» se describa con algo más que mutismo, aspavientos y condenas. Y no sólo el escándalo acrecienta la importancia del caso Wilde; también interviene la admiración literaria. Alfonso Reyes, según cuenta, aprende inglés para leer a Wilde. Al *poor Oscar* se le cita, lee profusamente y traduce, y durante dos décadas su proceso se analiza con cuidado y pasión en los (estupefactos) círculos heterosexuales. El 2 de mayo de 1911, desde La Habana, Pedro Henríquez Ureña le comenta a Alfonso Reyes un libro, *Uranisme et unisexualité*, de Marc Raffalovich, que narra con cierto detalle los tres procesos:

Wilde seguía en *pose*, contando chistes y *estetismos*. Hasta el último momento pareció que se salvaría; el juez estaba de su parte, en apariencia. Pero la última prueba y la acusación del fiscal fueron convincentes. Según Raffalovich, hay otro caso trágico en el proceso: el de un joven empleado de librería, que agradaba, por inteligente, a los escritores y a quien Wilde pervirtió (la única víctima suya) gracias a su prestigio. Sus declaraciones causaron sensación. Al fin se le declaró inocente, con contradicción visible, puesto que él confesó todas sus relaciones con Wilde y en ellas se apoyó la condena de Oscar.

Henríquez Ureña, por lo visto, no está muy bien informado y urde un episodio que nadie más registra, pero aquí lo significativo es la constancia del caso célebre que liquida una prohibición histórica en América Latina. Por la trágica intercesión de Wilde, la homosexualidad deja de ser lo inmencionable. Los habitantes de «las ciudades de la llanura» inician su muy lenta incorporación a la vida urbana, gracias al castigo al escritor «dedicado a asombrar con corbatas y con metáforas», que sin embargo «casi siempre tuvo la razón» (Borges, en *Otras inquisiciones*). Con todo, para que lo innombrable se resquebraje, Wilde el escritor necesita proteger con su prestigio a Wilde el invertido. Da idea de la atmósfera opresiva de ese tiempo un artículo de Borges, «Nuestras imposibilidades», de 1931, publicado en *Discusión* (1932) y eliminado de las ediciones posteriores, como informa Daniel Balderston en un agudo análisis *(El deseo, enorme cicatriz luminosa*, exCultura, 1999):

> Añadiré otro ejemplo curioso: el de la sodomía. En todos los países de la tierra una invisible reprobación recae sobre los dos ejecutores del inimaginable contacto. *Abominación hicieron los dos, su sangre sobre ellos*, dice el Levítico. No así entre el malevaje de Buenos Aires, que reclama una especie de veneración para el agente activo –porque lo embromó al compañero. Entrego esa dialéctica fecal a los apologistas de la *viveza*, del *alacraneo* y de la *cachada*, que tanto infierno encubren.

La sodomía, infierno que retiene la «dialéctica fecal» (según Borges), logra ser nombrada por el martirio de Wilde, cuyo proceso comentan escritores tan diversos como el cubano Enrique José Varona (1895) y el mexicano Julio Torri (1913). En la etapa álgida de la lucha armada en México, Torri escribe sobre Wilde en *Revista de Revistas*, critica a quienes persiguen «crudamente toda idea o pensamiento del orden científico o artístico que sean contrarios a la estabilidad de la familia y el Estado», y es muy irónico ante el comité francés que exige la mutilación del monumento a Wilde en el cementerio parisino del Pére-Lachaise:

A nadie ha sorprendido, sin duda, esta encarnizada persecución de todo lo que a Wilde se refiere; por desgracia forman hueste innumerable los que juran guerra a muerte a un escritor, a un poeta y a cuanto les toca, porque su vida no fue todo lo edificante que quisieran los más ignaros y despreciables miembros de cualquier congregación anglicana.

¿Qué parte de las profecías se cuela en sociedades cerradas, por el simple hecho de que los censores no leen o no saben leer? Torri se burla del «rebaño de gentes mediocres, de filisteos y semicultos», y sin embargo no es objeto de agresión alguna.

«—Y era una llama al viento... y el viento la apagó»

Un profeta notorio de la disidencia sexual es el poeta colombiano Porfirio Barba Jacob (1880-1940), seudónimo de Miguel Ángel Osorio, que usa también los nombres de Maín Ximénez y Ricardo Arenales. El nombre se toma de un judío de Florencia, Mossén Urbano, heresiarca quemado vivo en Barcelona en 1507, que pregona la existencia de Barba Jacobo, «el verdadero Dios omnipotente, en Trinidad Padre, Hijo y Espíritu Santo, ángel del Apocalipsis, sabedor de todas las cosas sin haber aprendido ciencia alguna» (Marcelino Menéndez y Pelayo, *Historia de los heterodoxos españoles*). Barba Jacobo también profetiza sobre sí mismo y alerta contra el coito heterosexual: «Que él (Barba Jacobo) era todo el ser de la Iglesia plenísimamente, que había de predicar por tres años para morir después degollado en la ciudad de Roma; entonces comenzaría con su resurrección la segunda Iglesia donde los hombres concebirían y parirían sin obra de

194

varón, que el pecado de Adán no había consistido en la manzana, sino en la cópula carnal con Eva.»

Osorio sale de Colombia y recorre diversos países de América Latina, entre borracheras, escándalos, pleitos, e incluso el reconocimiento de los que no soportan su conducta. Es demasiado casi para cualquier época: errabundo, poeta de sensibilidad magnífica, periodista venal al servicio de las peores causas, exhibicionista, drogadicto, experto en el desaliño personal, homosexual combativo y jactancioso:

> Impúber flautista de rostro florido
> que a la luz de un candil imbuido
> –era invierno, nublosa mañana–
> rindióse a mi ardor sin sentido...

De «Canción de la soledad»

En su excelente biografía, *Barba Jacob. El Mensajero*, Fernando Vallejo recrea la vida tumultuosa de éxitos y tugurios. A principios de siglo, el colombiano publica poemas confesionales que, muy probablemente, pasan inadvertidos debido a su audacia. Lo protege el estupor de quienes prefieren no darse por enterados de lo que los aterra. Entre sus primeros lectores, sepultados por el prejuicio, ¿quién *lee* realmente lo que Barba Jacob dice?

> Fue entonces cuando advino Juan Rafael, el dulce
> Amigo de mi alma, que no volvió jamás.
> Yo amaba solamente su amistad dulce
> –¿Y nada más?
> –Y un poco más...

O estos versos, que anticipan a Luis Cernuda y son tan inconcebibles en el medio latinoamericano, que sus lectores inaugurales casi de seguro le atribuyen la carga erótica a uno más de los recursos metafóricos:

Y mozuelos de Cuba, lánguidos, sensuales,
ardorosos, baldíos,
cual fantasmas que cruzan por unos sueños míos;
mozuelos de la grata Cuscutilán –¡oh ambrosía!–
y mozuelos de Honduras,
donde hay alondras ciegas por las selvas oscuras.

Nadie entonces alcanza los límites de este profeta abominable y nómada, al que memorizan grupos amplísimos.
Escribe en la «Balada de la loca alegría»:

Mi vaso lleno –el vino del Anáhuac–
mi esfuerzo vano –estéril mi pasión–
soy un perdido –soy un marihuano–
a beber –a danzar al son de mi canción.

Barba Jacob no se detiene y, sin recato, canta la gloria y
la belleza de los jóvenes, fiado no tanto de la permisividad de
la lírica como del sitio reverencial de los poetas. El poeta es
un vidente, se piensa, y puede ocurrírsele lo que sea, hasta
versos de alta provocación:

Al aura errante, al lampo del lucero
al tremulante amor de un joven marinero...

De «La Reina»

Y el reto más ostentoso se produce en su texto más conocido, «Canción de la vida profunda»:

Hay días en que somos tan lánguidos, tan lánguidos,
que nos depara en vano su carne una mujer....

196

La profecía de las humanidades

En el siglo XIX los seminarios religiosos siguen siendo centros formativos muy considerables. Allí estudian los que serán anticlericales, revolucionarios, literatos. Pero, con la declinación del humanismo en los seminarios, se hace preciso afianzar el estudio de las humanidades y, a principios del siglo XX, hay personas y grupos que intentan el humanismo laico. Pedro Henríquez Ureña habla de las reuniones en México de su grupo, el Ateneo de la Juventud, donde también participan Alfonso Reyes, Martín Luis Guzmán, José Vasconcelos, Antonio Caso, Jesús T. Acevedo, Julio Torri. En 1907, dice Henríquez Ureña, se da «el cambio decisivo de orientación filosófica, vio también la aparición, en el mismo grupo juvenil, de las grandes aspiraciones humanísticas». Eso es posible por la pequeñez de la capital y lo restringido del medio.

Y bien, nos dijimos: para cumplir el alto propósito es necesario estudio largo y profundo. Cada quien estudiará su asunto propio; pero todos unidos leeremos o releeremos lo central de las letras y el pensamiento helénico y de los comentadores... Así hizo: y nunca hemos recibido mejor disciplina espiritual.

Una vez nos citamos para releer en común el *Banquete* de Platón. Éramos cinco o seis esa noche; nos turnábamos en la lectura, cambiándose el lector para el discurso de cada convidado diferente; y cada quien lo seguía ansioso, no con el deseo de apresurar la llegada de Alcibíades, como los estudiantes de que habla Giulio Gelio, sino con la esperanza de que le tocaran en suerte las milagrosas palabras de Diótima de Mantinea... La lectura acaso duró tres horas; nunca hubo mayor olvido del «mundo de la calle», por más que esto ocurría en un taller de arquitecto, inmediato a la más populosa avenida de la ciudad.

¿Qué le reconocen a Grecia estos jóvenes y sus correspondientes en el resto de América Latina? Los ideales de perfección que contrastan con el cerco burocrático y altamente jerárquico de las academias; la introducción «de la inquietud del progreso»; el descubrimiento «de que el hombre puede individualmente ser mejor de lo que es y socialmente mejor de lo que vive»; la necesidad de la discusión y la crítica; el anhelo de perfección que es el deseo de vivir clásicamente. Gracias a Grecia y Roma, se reformula el humanismo, ya sin el yugo de la erudición conservadora, en momentos notable en su preservación de documentos, pero inerte en lo fundamental. El humanismo de esta etapa es profético a su modo, al aspirar al perfeccionamiento humano al margen de la religión, reemplazando la moralidad católica por las normas éticas que instituyen las comunidades y el pensamiento crítico. Señala Jean Franco en su ensayo «El humanismo de Pedro Henríquez Ureña»:

En la acepción común y corriente de la palabra, la calificación «humanista» podría aplicarse a la mayoría de los intelectuales y escritores del siglo pasado. Sin embargo, en cuanto consideramos al humanismo en un contexto histórico específico —el final del siglo XIX y principios del siglo XX— y, en relación con un fenómeno particular, el auge en círculos intelectuales de los *men of letters*, el humanismo empieza a perfilarse en una forma más nítida.

Hay que distanciarse del destino de los bárbaros por vocación. La profecía del humanismo retoma el impulso anterior de amor por lo grecolatino y lo mezcla con la necesidad de lo moderno. Y la vía de conciliación es la actividad magisterial que gira en torno del libro, y del género próximo, la biblioteca. Esto lo expresa inmejorablemente Borges: «Que imaginaba el paraíso / bajo la forma de una biblioteca.» Lo sagrado del libro es la premisa radical de este humanismo. ¿Y quiénes son los heraldos del libro? Obligadamente los maestros que, señala Jean Franco, «son los nuevos apóstoles del mundo moderno». Las misiones de redención por la cultura y la armonía entre los espíritus son la meta de los grandes humanistas de esa generación latinoamericana.

¿Qué sucede en las capitales latinoamericanas? (en la provincia, sólo unos cuantos perseveran en su afán cultural contra toda esperanza). Hay ateneos, asociaciones culturales, cenáculos literarios, academias. El clima es cerrado y de autoconsumo, y los conocimientos son la patente que distancia del vulgo. Sólo un puñado se exige rigor, y lo común es el desgaste por vanidad y localismo. Los que son humanistas y hombres de letras heredan la obstinación de los grandes conservadores y el espíritu abierto de los liberales. Muchos ejemplos los determinan, y de seguro, en la consideración específica, el mayor es Goethe. Si los intelectuales no son ejemplo, es el punto de vista prevaleciente, no son nada. Pero ser ejemplo no es ostentarse como tal, sino alejarse del camino de los filisteos, de los bárbaros por vocación. Las profecías del humanismo retoman el impulso anterior de amor por lo grecolatino.

«Un automóvil rugiente... es más hermoso que la Victoria de Samotracia» (Marinetti)

La profecía más recordada en la historia cultural y tal vez la menos atendida en su momento es la de los vanguardistas, que se da bajo la advocación de los movimientos europeos y, al principio, específicamente del futurismo italiano. En 1909, F. T. Marinetti publica «El Manifiesto del Futurismo», que incluye consignas detonantes:

1. Queremos cantar el amor al peligro, el hábito de la energía y la temeridad...

3. La literatura hasta hoy ha glorificado la inmovilidad pensativa, el éxtasis y el sueño. Nosotros, por el contrario, queremos exaltar el movimiento agresivo, el insomnio febril, el paso gimnástico, el salto peligroso, la bofetada y el puñetazo.

4. Declaramos que el esplendor de mundo se ha enloquecido con una nueva belleza: la belleza de la velocidad. Un automóvil en carrera con su caza ornada de tubos como serpientes de aliento explosivo..., un automóvil rugiente que parece precipitarse contra la metralleta, es más hermoso que la Victoria de Samotracia.

5. Queremos cantar al hombre que maneja el volante, cuyo eje ideal atraviesa la tierra, lanzada a su vez por el circuito de su propia órbita...

10. Queremos demoler las musas, las bibliotecas, combatir el moralismo, el feminismo y todas las miserias oportunistas y utilitarias.

El futurismo sorprende y divierte, considerado más bien una extravagancia. En 1909 Rubén Darío lo comenta con ironía: «¡Oh, Marinetti! El automóvil es un pobre escarabajo soñado, ante la eterna Destrucción que se revela, por ejemplo, en el reciente horror de Trinacria» (en *Manifiestos, proclamas y polémicas de la vanguardia literaria hispanoamericana,* edición de Nelson Osorio, Biblioteca Ayacucho). Amado Nervo se sonríe y profetiza: «Y es que a mí, viejo lobo, no me asustan ya los incendios, ni los gritos, ni los denuestos, ni los canibalismos adolescentes. Todo eso acaba en los sillones de las academias, en las plataformas de las cátedras, en las sillas giratorias de las oficinas y en las ilustraciones burguesas a tanto la línea... Estos incendiarios, ácratas y otras yerbas, no sabrán de fijo fabricarse más explosivos que las *bombas.*»

Los modernistas, como señala Ángel Rama, se dan al final de un período artístico universal y por tanto es muy escéptico su comentario sobre la explosión vanguardista. Es un joven chileno, Vicente Huidobro, el encargado en 1914 de saludar a la vanguardia, al declararle a la madre Natura: *Non serviam*, No te serviré:

> *Non Serviam.* No he de ser tu esclavo, madre Natura; seré tu amo. Te servirás de mí; está bien. No quiero y no puedo evitarlo; pero yo también me serviré de ti. Yo tendré mis árboles que no serán como los tuyos, tendré mis montañas, tendré mis ríos y mis mares, tendré mi cielo y mis estrellas... Una nueva era comienza. Al abrir sus puertas de jaspe, hinco una rodilla y te saludo muy respetuosamente.

Huidobro, sin embargo, también se burla de los futuristas: «Todo eso de cantar la temeridad, el valor, la audacia, el paso gimnástico, la bofetada, es demasiado viejo.» Su arte poético es delicado, de sutilezas, de impresiones que fructifican en precisiones. Lo suyo es el creacionismo:

> Por qué cantáis la rosa, ¡oh Poetas!
> Hacedla florecer en el poema;
> Sólo para nosotros
> Viven todas las cosas bajo el Sol.
> El poeta es un pequeño Dios.

La vanguardia consigue adeptos de excepción. Borges, por ejemplo, exalta en 1920 el ultraísmo:

> El ultraísmo no es quizás otra cosa que la espléndida síntesis de la literatura antigua, que la última piedra redondeando su milenaria fábrica. Esa premisa tan fecunda que considera las palabras no como puentes para ideas, sino como fines en sí, halla en él su apoteosis.

A partir de 1920, con el contexto de años de renovación estética y vital, las vanguardias cobran ímpetu, su profecía se enriquece con el aporte de los dadaístas y los surrealistas, y con el afán de corroer la solemnidad académica. Pero apenas alcanzan a la sociedad, y su repercusión suele ubicarse en la historia literaria.

«Marieta, no seas coqueta, / porque los hombres son muy malos / prometen muchos regalos / y lo que dan son puros palos»
(Canción de la Revolución Mexicana)

La alteridad tarda en configurarse como ámbito de vida. Faltan para ello los reconocimientos invertidos que se dan a través del ostracismo, las persecuciones, los arrestos, los asesinatos, los linchamientos morales, la indiferencia de los más ante el destino de los disidentes. Pero algunos fenómenos históricos acortan las distancias entre la agonía de la teocracia y la certidumbre de la secularización. Uno de ellos, antes de la proclama de la modernidad, es la Revolución Mexicana (1910-1940, aproximadamente), que en su desarrollo múltiple propicia la explosión de comportamientos, lleva a la superficie la franqueza popular a propósito del sexo (en contraste con la hipocresía de las «Buenas Familias»), declara por un tiempo la relatividad de los valores («Si me han de matar mañana, / que me maten de una vez», que los graciosos de la época parodian en las revistas de caricaturas con una jovencita que afirma: «Si me han de violar mañana, / que me violen de una vez»).

La Revolución despuebla y puebla México, en un desfile de combates sangrientos, migraciones masivas, tomas de ciudades, saqueos, fusilamientos, abusos tumultuarios, campos de batalla que la víspera son campamentos fornicatorios de soldados y soldaderas. También la Revolución aparta por el tiempo suficiente los velos de la gazmoñería, y da lugar a la orgía nada metafórica que compensa por la posibilidad muy real de perder la vida la mañana siguiente. Pero la Revolución no es sólo eso. Es también, en una minoría compuesta casi exclusivamente por mujeres, el afán de diversificar la nueva nación con el reconocimiento de los derechos femeninos. Esto, en un tiempo breve, repercute en la vida urbana, ya que la marginalidad de las naciones latinoamericanas depende en gran medida de la exclusión laboral y social de las mujeres. Tan así lo consideran algunos revolucionarios, que en 1916, en plena guerra de facciones, el gobernador de Yucatán Salvador Alvarado organiza en Mérida el Primer Congreso Feminista de México, al que acuden miles de militantes, las anarcosindicalistas en primer término. Revisar los documentos de ese Congreso es interesante y melancólico. Hay, y en demasía, cursilería recalcitrante, certificaciones de la condición floral y virginal, sollozos transformados en instituciones de la queja, críticas a fin de cuentas certeras. Lo irreductible es el gozo de existir a la luz de un encuentro, el estreno de la condición femenina como autonomía a reconocer. El movimiento se congela por el machismo de los revolucionarios, y las mujeres sólo obtienen el voto en México en 1953 para ejercerlo inauguralmente en 1955, pero el principio de visibilidad se inicia a la luz de la subversión momentánea de las jerarquías.

«Los excesos del descubrimiento»

En la década de 1920, muy especialmente, se dan en todas partes fenómenos de independencia femenina, y surgen voceras de un estado de ánimo levantisco, crítico, irónico. Una de ellas es la argentina Alfonsina Storni, que escribe en *La Nación* artículos gozosamente antipatriarcales (en *Nosotras... y la piel.* Compilación y prólogo de Mariela Méndez, Graciela Queirolo y Alicia Salomone. Alfaguara, 1998). En uno (del 25 de abril de 1919), comenta la disposición municipal que prohíbe a las bailarinas aparecer en el tablado con las piernas sin malla, y, también, una liga de señoras contra la moda, para «evitar los excesos del descubierto». Profetisa regocijada, Alfonsina se extiende en el análisis:

Resulta, pobres de nosotras, que mucha parte de la dignidad y el pudor femeninos lo tenemos en la piel, a la que no podemos ni lucir ni mirar sin que nuestra moral sufra descalabro.

Nunca hasta hoy se me había ocurrido pensar que fuéramos una cosa tan amorfa como la que aquel hecho da a entender.

Hasta hoy yo había pensado que la moral femenina era mucho más profunda, más valiosa, más completa... y he aquí que los hombres descubren en la piel y en el desnudo las propiedades de Satán y quieren salvarnos, oh protegidas mujeres, de sus maléficos peligros, poniendo entre Satán y los ojos una malla de seda muy transparente, muy fina, muy sugestiva...

¿Y esta magnífica liga contra la moda?

Es una especie de frazada de lana para ahogar las llamas que pueden desprenderse de un cuello terso...

Gentiles señoras: yo opino que lo peligroso es el cuello, y si su piel delicada y bella es un estorbo para la tranquilidad del mundo, hay que hacer una liga para cortar todos los cuellos hermosos, pero las frazadas están mandadas a guardar...

En el caso de las mujeres, las profecías de la alteridad parecen no ir muy lejos. Es terrible el poder coaligado de la Iglesia, la sociedad tradicionalista (casi la única que existe) y los depósitos del patriarcado en cada persona. Sin embargo, en los comportamientos las profecías se van cumpliendo, y las teorías no muy bien delineadas se vuelven guías de la sobrevivencia espiritual. Escribe Storni el 27 de junio de 1919:

La palabra feminista, «tan fea», aun ahora, suele hacer cosquillas en almas humanas. Cuando se dice «feminista», para aquéllas se encarama por sobre la palabra una cara con dientes ásperos, una voz chillona. Sin embargo no hay mujer normal de nuestros días que no sea más o menos feminista. Podrá no desear participar en la lucha política, pero desde el momento en que piensa y discute en voz alta las ventajas o errores del feminismo, es ya feminista, pues feminismo es el ejercicio del pensamiento de la mujer, en cualquier campo de la actividad. Es pues la razonadora antifeminista una feminista, pues sólo dejaría de ser tal no teniendo opinión intelectual alguna.

En el centro del debate de Alfonsina está el cuerpo femenino, su ocultamiento, su exhibición púdica, su esclavitud en el hogar, su devoción pasiva al marido y la familia, su dependencia de la moda, su infantilización. Y está la negación bárbara del cuerpo de la mujer que un término como *solterona* contiene («Algunas amiguitas mías», escribe el 4 de abril de 1919, «piensan que la palabra "solterona" debe desaparecer del diccionario, porque es la más antipática de cuantas se les ocurrió incluir allí a los venerables padres y maestros de la Real Academia; nada hay que las consuele de sospecharse largas y estiradas, con un par de lentes montados sobre la nariz, una dulce bolsita de bilis a mano y dedos ágiles para pellizcar sobrinos»).

Storni capta con agudeza el papel exterminador de algunos vocablos transformados en estereotipos. *La Mujer* es la abstracción que sólo disuelven las batallas específicas. Por eso la lucha de Alfonsina contra las prisiones de las mujeres, la inexistencia legal del divorcio en Argentina por ejemplo: «Feliz o infeliz, la pareja matrimonial debe soportarse lo mejor que pueda, o aborrecerse lo mejor que pueda, también.» Para Storni, según escribe en *La Nación* el 5 de septiembre de 1919, el enemigo declarado del divorcio es la propia mujer. Y al reflexionar sobre el tema desemboca en la radicalidad inaudita en ese tiempo:

> Nada tan falso, ante la naturaleza, como el matrimonio. Todo en él es absolutamente convencional. Cuando menos, entonces, que el divorcio puede beneficiar a los que no hayan podido amoldarse a ese convencionalismo práctico-sentimental.
> El divorcio es singularmente beneficiador para la mujer.

La nueva declaración de fe: «Tengo el impuro amor de las ciudades»

Una de las grandes rupturas culturales es la profecía del gusto por las atmósferas «de gran inmoralidad», por las situaciones y los escenarios de la urbe en tanto recintos simbólicos del pecado y de la «sordidez», entendida ésta como devoción por lo distante a las atmósferas de tranquilidad burguesa. Un profeta clásico es el modernista cubano Julián del Casal (1863-1893), un marginal por elección, alguien que se exhibe complacido fuera de las glorias de este mundo. El «fruto caído de la rama» va a fondo:

> Amor, patria, familia, gloria, rango,
> sueños de calurosa fantasía,
> cual nelumbios abiertos en el fango
> sólo vivisteis en mi alma un día.
>
> De «Nihilismo»

La ciudad –trátese de La Habana o México o Buenos Aires o Caracas o Bogotá o Lima– es el tumulto de las anticipaciones. Su misma desmesura anuncia el derrumbe del control del tradicionalismo. Una profecía muy señalada del período 1880-1920 ve en las ciudades el espacio de las sensaciones inexploradas, ya no sólo el disolverse en la multitud como huida del control parroquial, ni las licencias que permite el consumo de alcohol, juego y prostitución, sino el aprendizaje de lo urbano como «naturaleza de relevo», el gusto por los paisajes insólitos, los cambios permanentes, las aglomeraciones, el encanto de la sordidez, las señas desastrosas del avance de la industria, la pérdida del sitio fijo que cada uno ocupaba en pueblos y pequeñas ciudades. Julián del Casal, un dandy baudeleriano, es el primero que desafía la predilección por la serenidad, la paz y la limpidez del campo, y extrema el rechazo escénico de la naturaleza:

Tengo el impuro amor de las ciudades,
y a este sol que ilumina las edades
prefiero yo del gas las claridades.

A mis sentidos lánguidos arroba,
más que el olor de un bosque de caoba,
el ambiente enfermizo de una alcoba.

Mucho más que las selvas tropicales,
plácenme los sombríos arrabales
que encierran las vetustas capitales.

De «En el campo»

El *sombrío arrabal*, una de las joyas de la estética heterodoxa del siglo XX, halla en Del Casal a un apasionado que prefiere el «rostro de regia pecadora» al rostro virginal de una pastora. Hay reto, desesperanza, osadía en el pronunciamiento:

Más que al raudal que baja de la cumbre,
quiero oír a la humana muchedumbre
gimiendo en su perpetua servidumbre.

Otro extremo, esta vez con humor, ironía, jactancia, es
José Juan Tablada, que escribe en un poema de 1918:

En la más sincopada de las rumbas,
préndeme tu vacuna, ¡oh mariguana!,
para universalizar el incidente.

De las revelaciones de las Gacetas Callejeras

Hay profetas visuales de consideración. En México el
principal es José Guadalupe Posada (1860-1913), que le da
forma estética a la turba, la gleba, el populacho, o como se le
diga, y que representa el paisaje humano variadísimo de la
ciudad ya secular por sus espectáculos interminables, el primero de ellos la ciudad misma. Posada trabaja a un ritmo
compulsivo en talleres donde lo de menos es el cuidado
artístico, y sin embargo retrata e inventa con genio la ciudad
libre que resiste las condenas del espejo, que la mirada de
asco de la élite reproduce.

¿Qué incorpora Posada a sus grabados? La lista es interminable y es en rigor el catálogo del imaginario colectivo,
con la única excepción de las prostitutas, que si figuran lo hacen en su condición de vecinas. Posada retrata a policías, burgueses, gente de clase media, novios, adivinos, brujas, tran-
viarios, soldados, revolucionarios, Emiliano Zapata, tiples de
teatro frívolo, escritores, políticos, indígenas, desastres, crímenes, la sociedad vuelta osamenta, la «flor de la calaverada»,
homosexuales y travestis. La criminalidad le merece la atención del circo terrífico en donde los casos famosos son nuevos
cuentos de hadas del pueblo: «El horroroso caso del horroro-

so hijo que mató a su horrorosísima madre.» Y Posada no castiga a la alteridad distorsionándola, le pone los rasgos físicos que le constan y al construir una estética de la fealdad prepara el camino para la aceptación inteligente y divertida de lo popular. Ningún pueblo es genéricamente bello, ningún pueblo es de por sí impresentable, sería su conclusión. A esta distancia, recorrer la obra tan cuantiosa de Posada es adentrarse en el territorio de lo excluido ferozmente, de los seres invisibles que, alegrísimos, adquieren por unos céntimos su representación. La modernidad es también el fin de la expulsión de lo visible de las mayorías.

El período 1880-1920 es menos arbitrario de lo que parece. A su modo es un «fin de la historia» porque los fundadores de las Repúblicas, con la excepción de Cuba, son un hecho lejano, y es el último momento en que la internacionalización cultural de América Latina es selectiva y sectorial. (En las grandes ciudades, la década de 1920 es un ingreso masivo a las sensaciones de la modernidad.)

Hacia un retrato de la alteridad sin paisaje

¿Quiénes son *los otros* en el período 1880-1920? Desde luego, los indígenas, las mujeres pobres (y los pobres en general), las prostitutas, los protestantes, los ateos, los socialistas, los criminales, los homosexuales, las adúlteras, los enfermos, los inmigrantes campesinos. Algunos grupos son motivo del «turismo de la superioridad», y allí están para comprarse las tarjetas postales con indígenas y seres deformes, el freak show de la época. A unos se les persigue en voz alta para frenar su desarrollo (el caso de los protestantes), a otros se les condena y estigmatiza en voz baja (el caso de los homosexuales). A las lesbianas ni siquiera se les otorga el homenaje del castigo. Los drogadictos de clase alta pasan por excéntricos, los de clase baja por enfermos mentales. A los socialistas se les reprime, a los ateos se les castiga. Pero en el período se filtra ya la conciencia de la diversidad, y ese mero registro de existencia es un adelanto social, cómo estarían las cosas. Pese a su voluntad de supresión, los seres del presidium, los hombres de pro, luego de estos años, ya no podrán decir con el énfasis del exterminio:

Aquí no suceden cosas
de mayor trascendencia que las rosas.

LO ENTRETENIDO Y LO ABURRIDO

LA TELEVISIÓN Y LAS TABLAS DE LA LEY

Inútil disminuir el papel de la televisión en los procesos de identidad nacional (según sus adversarios, el apocalipsis, donde uno, con tal de respetar a sus ancestros, se ve obligado a repetir los mismos gestos por toda una eternidad) y de integración a la sociedad de consumo (el Juicio Final según sus oponentes, donde uno renuncia a la esencia con tal de salvar la contingencia). Sin embargo, a esta certidumbre se llega muy lentamente. En 1952, en las postrimerías del gobierno de Miguel Alemán, cuando se inicia la televisión en México, los círculos oficiales la califican de «pasatiempo» que, reiterativamente, no puede tomarse en serio. Que otros transmitan las Mañanitas desde la Basílica de Guadalupe la madrugada del 12 de diciembre y capturen la atención con teleteatros y programas de concurso; a los gobernantes les basta con el manejo del país y el monopolio del lenguaje público. Y situaciones similares se dan en toda América Latina.

El arrasamiento de la privacidad

La televisión, «asunto de entretenimiento». Tan se cree eso que los gobiernos no toman durante largo tiempo la precaución de reservarse canales para difundir sus causas políticas y sus proyectos culturales. La tecnología deslumbra y no hay dudas sobre la estrategia adecuada: imitar lo norteamericano, mientras se vigilan los Valores Familiares. Con todo, y especialmente en provincia, la televisión cubre funciones imprevistas o muy mal registradas:

a) Genera una nueva especie, el televidente, atenido a la vía de escape del «monitoreo», con poder de concentración siempre segmentado y relación vivísima con los anuncios comerciales. El televidente es por entero distinto al cinéfilo (que se sitúa casi escolarmente frente a la pantalla, convencido de que aun la peor película transmite algo de los secretos de la vida) y acrecienta visualmente los goces del radioescucha.

b) Pone al día hasta donde es posible a colectividades aisladas cultural o —cada vez menos— geográficamente, lo que a mediano plazo tiene consecuencias extraordinarias, al banalizarse un sinnúmero de los grandes prejuicios conservadores, y al equipararse *casi* todas las tradiciones con series televisivas. (La televisión no simplifica pero sí transforma escenográficamente la experiencia religiosa y la política.) Sin proponérselo, la televisión, modesta pero sistemática vía hacia lo contemporáneo, destruye los esquemas moralizantes más rígidos y, con aluvión de imágenes, exhibe la ridiculez de los opositores del Progreso. A las actitudes «modernas» se les identifica con la diversión y el confort, y, así sea por medio de las series norteamericanas, el roce con lo internacional da origen al «relativismo», calificado más tarde por la derecha de «hedonismo», el sustituto de la amenaza comunista.

c) Disemina (sencillísimas) fantasías del consumo y reelabora las jerarquías del gusto. Esto implica versiones sarcásticas o desdeñosas de los modos de vida populares, calificados en el mejor de los casos de «pintoresquismo». A partir del desprecio hacia los modos de vida sustentados en el hacinamiento, se distribuye un nuevo sentimiento de culpa entre las clases populares, traducible de esta manera: «No sólo vivimos mal; también, la reiteración de actitudes y hábitos a lo largo de las generaciones describe nuestra condición espiritual, circular y previsible. Hemos sido lo que hemos dejado de contemplar. Nuestro provincianismo es nuestra condena.» Que esto no se declare abiertamente no despoja a esta conciencia desdichada de su dureza.

d) Deja fluir el ritmo de lo contemporáneo, tal y como lo expresan los ecos de la vida en las metrópolis, la industrialización, la publicidad, los delirios comerciales y la desinformación. Se alisan hasta donde es posible las diferencias del auditorio (de clase social, de género, de edad, de nivel cultural, de perspectivas políticas), se generan rasgos comunes pese a todo y se impone el ensueño del Público Ideal.

e) Despoja al uso del tiempo libre de todo sentido de finalidad social, familiar, individual.

f) Aproxima los sectores rezagados a manifestaciones culturales y sociales en un movimiento que, así sea muy superficial, no es menospreciable de modo alguno.

g) Contribuye eficazmente al control demográfico al reducir las horas de ocio fecundante.

h) «Globaliza» al televidente al insistir en la correspondencia de su país con lo internacional, y al familiarizarlo con la diversidad del paisaje. Más que el cine, por el número de horas invertidas la televisión destruye los bastiones del aislacionismo cultural.

Entre 1952 y 1980, suelen ser extremistas las respuestas a la televisión. Más que el duelo de apocalípticos e integrados, lo que cunde en el medio latinoamericano es el falso enfrentamiento entre reticentes y feligreses. Así va el razonamiento: sí, deberíamos hacer otra cosa, la nacionalidad y la individualidad son hechos activos que requieren la concentración de nuestra energía, es absurdo vivir en un país (en un planeta) sentados durante días y años frente al aparato, felices en la resignación. ¿Pero qué se le va a hacer? Vivimos en el Tercer Mundo porque no tuvimos otra y la televisión es

213

todopoderosa porque el Tercer Mundo nada más a eso llega, a las copias y los carnavales pobres. Destino sellado: la televisión tiraniza nuestro uso del tiempo porque no otra cosa exige la globalización. Así es, ni modo. Si se la toma en serio, la individualidad es de ardua obtención, y la nacionalidad, de acuerdo a las reglas telegénicas, es sólo uno de los componentes del espectáculo.

El cúmulo de dificultades urbanas arraigan a la televisión en el ámbito donde la sociedad de consumo se encuentra con la sociedad tradicional. Afuera, en ese *afuera* que va desplazando en numerosos sectores el placer por la vida en la calle, están las multitudes y los peligros y las exigencias de gasto. Dentro, en el *dentro* donde se congregan las seguridades, entre ellas y principalmente el espectáculo de la familia unida en torno al aparato, se hallan las ofertas: risas, lágrimas, temas de conversación. La televisión es el gran interlocutor a quien se le cede el centro del diálogo familiar.

La radio: «Así como me oyes, así es tu tierra»

En América Latina, como en otros lugares pero sin mayor oposición, la televisión privada decide por cuenta de naciones y sociedades el significado de lo aburrido y lo entretenido. El proceso se inicia, no sin reservas, en la recepción asombrada del cine norteamericano y de las cinematografías nacionales, que subrayan lo inoperante de la mayoría de las tradiciones y promueven el salto de la cultura aún sojuzgada por los valores «criollos», a la de expresión «mestiza» que cede a la modernidad entre burlas y protestas. Pero el cine, de cualquier modo sujeto al diálogo vivísimo con su público (la taquilla como lenguaje, los mitos como exclamaciones de las familias), ofrece muchas más alternativas que la radio, zona por excelencia del gusto monolítico. Desde 1930 por lo menos, las estaciones de radio en América Latina imitan y

214

asimilan las fórmulas norteamericanas, imprimen un ritmo melódico a la americanización y establecen el sitio rector de la publicidad, esencial en el nuevo concepto de entretenimiento. Y así no se aproxime a la persuasión de las imágenes fílmicas, la radio es el vínculo con el Centro ideal y real de las naciones, contribuye al fin de los aislacionismos regionales, afina la «nueva sensibilidad» (el romanticismo en la era de la tecnología), dicta junto a la industria fílmica las reglas del «sonido popular» en la canción y el habla, y cambia los protocolos del sentimiento (como obligación social) en familia y a solas. Sin jamás pelearse de frente con el tradicionalismo, la radio es otro adelantado de la modernidad. (En los casos difíciles, la radio cede... para ganar la pelea uno o cinco años más tarde.) Y la industria del disco potencia y vuelve irreversibles los poderes de la radio.

La industria exige renovar la «imagen del pueblo», entidad que, si quiere pertenecer al siglo XX, deberá alabar evocativamente su origen rural para mejor distanciarse de él. Se trastocan, por motivos de eficacia, las presentaciones más habituales de lo tradicional. Así, en México se cancela el énfasis rústico en las canciones, el tono de letanía indígena, arrastrado y quejumbroso, todavía hoy perceptible en los cantantes del fervor guadalupano. Por razones del «ascenso social», a este sonido de la sierra y del llano lo desplazan el estilo marcado por la educación operística y su conquista de la nota más alta, mientras la industria del disco, por necesidades del tiempo publicitario, somete las canciones a su lecho-de-Procusto, como hubiese dicho algún locutor culto de los treintas, a los dos minutos y medio o los tres minutos del track, lo que modifica por entero la idea de canción. Luego, entre 1940 y 1960 otro cambio menor pero significativo canjea las voces educadas por las ya marcadas por el apretujamiento urbano, donde al melodrama servido por la técnica lo corrige la ironía de quien canta como le da la gana en plena desfachatez sensual (verbigracia: Daniel Santos, María Luisa Landín, Alber-

215

to Beltrán, Celio González). Democracia plena: casi nadie puede cantar como Caruso, pero así sólo los cantantes de la Sonora Matancera puedan cantar como ellos mismos, todos pueden imitarlos.

Compañía inevitable, centro acústico del hogar, la radio recompone entre 1930 y 1950 las dimensiones de la familia y elimina las sensaciones tradicionales del aislamiento. Apotegma de la obviedad: una es la vida doméstica antes y otra después de la radio. Se van deshaciendo los entretenimientos preradiofónicos (veladas, juegos de salón, intercambio de visitas, manejo del chisme como afinamiento de la vida social, conversaciones que ratifican que los presentes no están en otra parte) y se va precisando el nuevo personaje o nueva categoría social, el Ama de Casa, el primero y el más firme de los auditorios cautivos, que en la imaginación de los productores y locutores es el manual de gratitudes anticipadas, la criatura de la domesticidad y los detergentes que llora, ríe o se pasma a petición del melodrama y de las sugerencias como órdenes del locutor. «La radio inventó al Ama de Casa», dictamina el magnate mexicano Emilio Azcárraga Vidaurreta, el propietario de la XEW, estación poderosísima de 1930 a 1960. Eso es tanto como decir: «La radio fija las condiciones de alivio en medio de la esclavitud doméstica.» Al mutar la Esclava del Hogar en Ama de Casa, las condiciones materiales no varían, pero la psicología femenina inicia su transformación.

La televisión: «Si no me ves todo el tiempo, le perderás el gusto a la repetición»

La sociedad de masas es un modo como otros de nombrar las distancias entre la explosión demográfica y el proceso civilizatorio. Por motivos de distribución del ingreso, de educación y de incontinencia demográfica, la democratización de la cultura es todavía en América Latina una experiencia minoritaria y con frecuencia marginal. La televisión privada dispone de un poder de convencimiento tan amplio que lo afirmado por sus directivos lo repiten funcionarios, artistas, intelectuales y periodistas, convencidos sin reservas de lo aburrido de la cultura en los medios electrónicos, y de la necesidad de lo popular (sinónimo de lo intrascendente) para estar a gusto, con «el cerebro en pantuflas». Al respecto, es atrozmente sincero Emilio Azcárraga Milmo, presidente del grupo Televisa *(Proceso*, 15 de febrero de 1993). Le declara Azacárraga a la prensa:

> Estamos en el negocio del entretenimiento, de la información, y podemos educar, pero fundamentalmente entretener... México es un país de una clase modesta muy jodida, que no va a salir de jodida. Para la televisión es una obligación llevar diversión a esa gente y sacarla de su triste realidad y de su futuro difícil. La clase media, la media baja, la media alta. Los ricos, como yo, no somos clientes, porque los ricos no compramos ni madre.
>
> En pocas palabras, nuestro mercado en este país es muy claro: la clase media popular. La clase exquisita, muy respetable, puede leer libros o *Proceso* para ver qué dice de Televisa. Éstos pueden hacer muchas cosas que los divierten, pero la clase modesta, que es una clase fabulosa y digna, no tiene otra manera de vivir o de tener acceso a una distracción más que la televisión... Ustedes nunca han visto un aparato de televisión en la basura, nunca. Y les juego lo que quieran. ¿Cuándo han visto un aparato de televisión en la basura?
>
> Lo importante, en este caso, es que la gente que enciende un aparato receptor lo hace de manera voluntaria. Entonces, puede escoger lo que se le chingue la gana. La respuesta que tenga es mucho más importante y verdadera que cualquier reconocimiento cursi que pueda haber, sea el Oscar, los premios de Cannes y toda la mierda que existe.

Lo que vale es cuando uno se enfrenta a un auditorio de millones de personas y éstas deciden sintonizar algo que, además, es alegría, les ofrece un entretenimiento sano, y que les brinda satisfacción interna. Eso es la televisión, y, entre muchos esfuerzos realizados, el más importante dentro de Televisa, curiosamente, se llama *Los ricos también lloran*, para que vean que yo, siendo, habiendo nacido rico, también lloro...

El mensaje es contundente: los jodidos sólo disponen de la televisión si quieren vivir a secas o acceder a una distracción. ¿Pero qué es la *distracción* en este caso, y qué son el entretenimiento y su oponente, el aburrimiento? ¿Se entretienen todos por igual con una telenovela, un noticiero que pregona la abundancia en el mejor de los mundos posibles, un programa de-costa-a-costa o una comedia de situaciones donde el chiste radica en imaginar dónde estará el chiste? ¿Quién define *la diversión sana?* ¿Y son unánimemente aburridas las transmisiones de ópera y ballet, las películas de calidad, los debates sobre economía, política, cultura, sexualidad y actitudes éticas y bioéticas?

Antes de la Familia los locutores no tenían a quien hablarle

El fundamento de esta dictadura del gusto es evidente: desde los años sesentas, se reclama –con anuncios y actitudes– una nueva identidad social sustentada en los valores del consumo, que busca imponer el sentido del humor, las respuestas automáticas a las ofertas de «esparcimiento», el sitio de las emociones entre un comercial y otro. La censura, el menosprecio del auditorio y la degradación artística hacen su propuesta: que el pueblo se convierta en *el mercado*, tal y como acontece en los demás países. A esta metamorfosis básica –el traslado de la identidad colectiva a los espacios de lo rentable– la apuntalan razonamientos diversos, que desde la televisión comercial se dicen o se insinúan:

a) Cualquier intento de hacer pensar aburre, porque «un señor que llega a su casa demolido por los problemas de la oficina o de la fábrica o del subempleo, por el suplicio del transporte y la contaminación, no tiene ganas de que lo hagan pensar, y sólo desea reírse sanamente y estremecerse o gozar viendo que su familia reacciona exactamente como él».

b) La Familia no acepta que la dividan con programas que atentan contra su unidad básica. En el mundo secularizado, la televisión es también la última Plaza Mayor de las Familias, integradas por «niños de ocho a ochenta años».

c) La pantalla casera admite un solo nivel educativo. Para no atribuirle méritos al público y para no discriminar, debe cuidarse el uso del lenguaje al extremo, reduciéndolo a un vocabulario básico, esterilizándolo, volviéndolo «accesible» y pueril. La televisión, dicen sus propietarios, es para las mayorías, y las mayorías se ahogan guturalmente con las palabras complejas o que conduzcan al diccionario (lugar remoto y hostil al que nadie acudirá).

d) Debe protegerse la moral tradicional, para cumplir el pacto implícito con la Iglesia católica (que condena frivolidad y lascivia, persigue el condón y ataca la «pornografía» sin describirla para mejor satanizarla, pero que *jamás* hace campañas contra la televisión comercial), y esto implica exhibición de cuerpos frondosos pero nula genitalia, supresión de escenas «fuertes» pero ríos de insinuaciones, nada de «palabras inconvenientes» (todo lo que no es cursi es «inconveniente») pero diluvio de semblantes crispados por la frustración sexual. Si la censura de índole eclesiástica no detiene la programación de las antenas parabólicas («Que los ricos se perviertan, al fin que entregado el diezmo todavía les sobra dinero»), y si es vigorosa la atracción que despiertan las telenovelas brasileñas, menos vigiladas por el Concilio de Trento, sí es demoledor el efecto de conjunto: quienes viven de manera secular ante la televisión se confiesan belicosamente tradicionalistas.

e) Como quien no quiere la cosa se sacraliza la tecnología, en acto de optimismo fervoroso. La tecnología, asumida sin criterio alguno, es la señal de que no se vive en el pasado, y es el elemento innegociable, imprescindible. La conclusión es tajante: el público es siempre menor de edad, y se representa por un ama de casa que se ríe de todo, un señor a quien la fatiga sólo le permite ver la pantalla seis horas seguidas, una familia ansiosa de comentarios jocosos. Y tal idea fatalista, donde la integración se escuda tras la identidad, y la identidad se deja proteger por los recursos de la integración, justifica la censura, la puerilidad, el idioma de trescientas palabras básicas y únicas de actores y locutores, la exaltación de la banalidad.

*«Fija la mirada en el aparato y ya no te interesarán
las alternativas»*

No sé si alguna vez existió el espectador diseñado por la televisión privada. Lo cierto es que se ha desarrollado un público amplio, que oye a los clásicos, lee lo que puede, va a las exposiciones si se las anuncian debidamente, y, por ejemplo, atiende cuando hay las polémicas sobre el aborto, la violación y la condición gay. En sectores más vastos de lo que se reconoce son ya distintos, gradualmente, los conceptos de *aburrimiento* y *entretenimiento*, pero esto no se admite, con tal de no abandonar el esquema que protege a los incapaces orgánicos, a los televidentes.

Éste es uno de los grandes escollos para los intentos de una televisión diferente (no que abunden). Son cuarenta años de un solo modelo de lo *aburrido* y lo *entretenido*, que acatan por igual funcionarios públicos y críticos solemnes, y resulta el proyecto y el molde de la nueva identidad. En la

220

raíz de este designio, intervienen las nociones despreciativas del público que-acepta-lo-que-le-den, se ríe con gratitud de chistes pésimos y sufre escalofríos porque los vericuetos de dramas elementales le recuerdan la existencia de su naturaleza humana. Y muchos de los críticos, por el solo hecho de serlo, se consideran inmunizados: son diferentes, a ellos no los engaña esa televisión a la que sólo dedican unas cuantas horas al día, y de la que nada más extraen la mayoría de sus referencias sociales.

Muy cara se ha pagado en Latinoamérica la versión única de lo aburrido y lo entretenido, que de la televisión se traslada a la vida cotidiana, la cultura y la política. La identidad colectiva, cambiante por razones de creatividad y preservación, se paraliza en el ámbito de los prejuicios. *Entretener*, en este paisaje autoritario, es hacer que el tiempo pase sin que a nadie se le ocurra otra técnica de empleo, porque el sello de lo productivo se deposita en lo industrial y lo tecnológico y el tedio es la amenaza peor: si te aburres te quedarás sin tu identidad predilecta, la del que la pasa bien con lo que le den.

Mucho más que la «penetración cultural» del imperialismo norteamericano (un término que bosqueja la virginidad espiritual de una América Latina sumergida en sus valores ancestrales, vestal de las tradiciones que por sí solas expulsan al enemigo) es la implantación triunfal de las nociones del entretenimiento, lo que da la medida del poderío de la americanización, magno proyecto comercial y, en segundo término, ideológico. El público latinoamericano se ilusiona con un «tiempo libre» usado a la manera de los norteamericanos, y allí, en el salto de la identidad antigua a la integración superficial, se producen los acomodos, la certeza digamos de que la tradición es sinónimo del bostezo y la modernidad es sucursal de la alegría. Se produce un enredijo oportunista de tiempos culturales y gustos generacionales donde todo da lo mismo si se somete a las reglas de juego: desatar sensaciones

221

de lo que moderniza sin riesgo para el alma, y de lo que rinde tributo al pasado sin ir tan lejos que relegue el culto al presente. Y lo furiosamente de moda o lo férreamente anacrónico son, si encuentran patrocinador, dos caras de la misma moneda.

¿Qué entretiene?, ¿qué aburre? Si uno aplica este cuestionario a los temas vitales y a los secundarios, de allí desprende, según creo, una visión más exacta de la televisión y de su propia persona. ¿Empavorecen de hastío o estimulan los asuntos intelectuales, los valores patrios, los refrendos éticos, la vida en provincia, los programas «espectaculares» del Bravo a la Patagonia, las entrevistas con las cantantes que no cantan y los grupos que confían su talento al play back? ¿Hay niveles intermedios? ¿Es verdad que el auditorio se divide por edades, y a cada edad le corresponde un temperamento único? ¿Es el criterio del humor involuntario la única defensa conocida contra las ordalías televisivas? ¿Es la televisión comercial la depositaria formal de los valores morales? ¿Las misas transmitidas desde las catedrales renuevan la identidad o integran el credo con los satélites? Detrás del mito de lo fastidioso que aburre y de lo entretenido que divierte, está el debate en torno al ejercicio de la pluralidad, a la que se oponen los monopolios del poder político, económico, religioso y, en alguna medida, cultural. Y al negarse de modo explícito a lo diverso, y sólo aceptarlo a través de la publicidad, la televisión reafirma su desdén por lo plural y alaba la identidad monolítica y la integración que excluye.

Por comodidad, por complicidad, se permitió a unos cuantos decidir el gusto en el ámbito del tiempo libre, y al cabo de cuatro décadas la mayoría se atiene a esa imposición. Para romperla, y dar paso a la genuina diversidad del gusto y del criterio, hay que desmovilizar la censura, quizás el instrumento más efectivo de reducción del horizonte mental del público (en tanto público), y que sostiene a la modernización que no moderniza en medio de las tradiciones que se deshacen.

Nadie rebaje a lágrima o reproche esta declaración
de la maestría de las transnacionales

Con escasas excepciones (la telenovela, la más destacada) la sujeción técnica y psicológica a la televisión norteamericana lo ha sido todo. Se copian los formatos, se masifica la imitación, se ajustan los programas al ideal de un público texano que hubiese olvidado súbitamente el inglés. Y esto sucede (causa o consecuencia) al magnificarse la fe en la tecnología y al diluirse la confianza en la originalidad nacionalista. Y si las telenovelas no imitan tan descaradamente (aunque vampiricen las tramas fílmicas de Bette Davis, Joan Crawford y Barbara Stanwyck) es por la sólida tradición del melodrama, que alía el repertorio francés y español de fines del siglo XIX, los vericuetos de la novela de folletín, y el impulso de la cultura oral que todavía adivina los chismes de pueblos tras las fachadas de la élite en la megalópolis.

Desde los años sesentas las transnacionales se encargan de tutelar las sociedades latinoamericanas. Vayan a su regazo las modas, el sentido de los juegos infantiles, la cultura juvenil, el uso admitido del tiempo libre. Al principio las modas algo tardan en cruzar las fronteras comerciales y anímicas; luego el proceso de adaptación mecánica se reduce considerablemente, hasta llegar a la casi simultaneidad de hoy (en los sectores con capacidad adquisitiva o en las vanguardias juveniles). Una tras otra las instituciones del gusto y el consumo de Norteamérica se vuelven las instituciones del gusto y el consumo en América Latina: la ceremonia de entrega de los Oscars y de los Grammy, la adopción de películas de culto o de estrellas de cine y del rock, los best-sellers, los estilos de ropa, los lenguajes corporales, etcétera. En la actitud conviven la genuina internacionalización cultural y la imitación patética o descarada, la mímica como solicitud de ingreso al Primer Mundo.

¿Cómo separar ambas instancias? ¿Y de qué modo ayudan en otra etapa las fórmulas protectoras de la Identidad nacional y latinoamericana divulgadas por los nacionalistas y la academia marxista? A la ofensiva comercial (sin duda dispositivo ideológico) la fortalece la sacralización al revés. La crítica marxista de los años sesentas y setentas concibió muchedumbres avasalladas, ganadas para el capitalismo por los cómics de Walt Disney (en especial Scrooge MacDuck o el Tío Rico MacPato o el Tío Gilito), inconscientes, hipnotizables, que convertían la televisión en el púlpito del nuevo Gran Inquisidor, de cuya irradiación nadie se hurtaba. Las masas, así se creía, no llegarán a tiempo a la revolución mientras siga prendido el aparato. Y si a esto se añade por ejemplo el desplome del socialismo real y de la ideología que lo acompañó como pedagogía exterminadora, y el macroespectáculo de la sociedad de consumo, se entiende por qué la manipulación más efectiva opera sobre los sentimientos admirativos y adquisitivos y no sobre las convicciones, y por qué la ilusión del mundo «unipolar» se fundamenta en el exterminio de las alternativas. La industria cultural disfruta de la credulidad planetaria.

Por otro lado, «la manipulación irresistible» es, en el sentido profundo, mentira o inexactitud. Cierto, en la estrategia de las transnacionales, figuran la demolición de las tradiciones comunitarias y la implantación de los espejismos de la vida ultramoderna, en la eficaz combinación de ideología y mercadotecnia. Pero también sin duda, ante el engaño colorido, muchísimos eligen transformar en cultura popular y en espíritu comunitario, asumido gozosamente, la tontería o el envilecimiento que se les ofrecen. A los integracionistas les importa que la explotación se perpetúe a través de la interiorización colectiva de dogmas y resignaciones, pero también de seguro nadie incorpora mecánicamente a su vida lo que oye y ve.

Los senderos de la americanización

A la «desnacionalización», a la famosa y un tanto inasible «Pérdida de Identidad», la apuntalan el descrédito de las ideologías de Estado, el desgaste del civismo y de las tradiciones heroicas por vía del abuso oficial, y la prédica conmemorativa ante el saqueo de recursos naturales, la explotación de la pobreza y las ofensivas ideológicas de la derecha. Gracias al neoliberalismo, se percibe en grandes sectores lo folclórico como lo nacional, y se concentra la idea de patria en lo íntimo y en lo sentimental. (La Identidad con mayúsculas se arrincona en la fiesta del barrio o del gremio. Como alguien diría: «Patria es el conjunto de vivencias que nos defiende de la globalización, que sólo nos hace sitio en las márgenes.») Al mismo tiempo, la lógica del crecimiento requiere de un mayor apego al modelo norteamericano. Y lo que en 1955 o 1960 es deslumbramiento superficial, ya desde hace tiempo parece la única garantía de continuidad. La Integración salva a la Identidad del riesgo de que se la tome demasiado en serio.

Quien se americaniza o se «desnacionaliza», según se vea, adquiere ante sí mismo, en diversas escalas, solvencia psicológica y fluidez social y, sin que pueda evitarlo, compara de modo incesante lo que ocurre en su país y en Estados Unidos con resultados siempre desfavorables para lo nacional. La imagen del «latino» (pasión, romance, indisciplina, incontinencia demográfica) elaborada en Norteamérica se expande de modo difuso y a muchos les resulta una versión convincente. *Así somos...* Ya no es indispensable asustar a los modernizables con el fantasma del primitivismo; la convicción de que no queda otra ahorra trámites de control. La ilusión de pertenecer a dos países, a uno por nacimiento, a otro por modo de vida, impregna los nuevos hábitos y costumbres.

En la segunda mitad del siglo XX las mayorías se adueñan a su modo de lo que había sido el fervor de las élites. El apego a «lo norteamericano» (el confort, la tecnología, el individualismo, el automóvil como cacería de horizontes) es avasallador. De nuevo, se confunden aportaciones indispensables y mensajes ideológicos, y la mentalidad competitiva de quienes no compiten se agrega a la compra de televisores, radios de transistores, licuadoras, grabadoras, lavadoras eléctricas, computadoras. Y la seducción es tanto más efectiva cuanto que identifica a cualquier forma de consumo con la rendición ideológica y el rechazo a la crítica, lo que concede a la industria cultural una influencia desproporcionada. En la sociedad de masas sólo caben versiones estentóreas (atavíos, costumbres, habla, sentido del humor, visión del erotismo), pero el dominio de las transnacionales será muy imperfecto mientras los modos de resentirla sean tan diversos.

Quien dice en América Latina medios electrónicos, alude a un procedimiento categórico que permite a un mito insostenible («el entretenimiento para todos») hacer las veces, en la época del fin de las utopías, de utopía para las masas. Entre otras instancias, la televisión, el cine, la música popular, el teatro comercial, la transferencia de los sentimientos patrióticos al deporte, la «cosmovisión» del best-seller, el control informativo, son el gran aliciente colectivo. A las comunidades les resulta imposible confrontar críticamente sus experiencias, y al ensueño del triunfo individual se sujetan la ética y los sentimientos gregarios. Si cultura es –en palabras de Marcuse– la noción de esos valores morales, intelectuales y estéticos que dan sentido y cohesión a una sociedad, la sustitución de realidades impone el conjunto de valores que le restan sentido y le impiden coherencia a una colectividad, y lo «consumista» es la presunción, en medios de escasez, de reproducir conductas de la prosperidad, y es la posición intimidada que engrandece lo de «afuera», por sentir que al hacerlo no sólo adquiere un producto, sino la psicología que le evita responsabilidades con la sociedad a la que, de hecho, ya no quiere pertenecer.

«Mientras», observó Pasolini respecto a Italia, «a espaldas de todos, la verdadera tradición humanista (no la falsa de los ministerios, de las academias, de los tribunales y de las escuelas) es destruida por la nueva cultura de masas y por la nueva relación que la tecnología ha instituido –con perspectivas hoy seculares– entre producto y consumo; la vieja burguesía paleoindustrial está cediendo su sitio a una burguesía nueva que influye, cada vez más y más profundamente también, en las clases obreras, tendiendo finalmente a la identificación de burguesía con humanidad.»

La burguesía, sinónimo de la humanidad. En el fondo de la brutal transformación de América Latina en las últimas décadas, la sujeción (el culto por la integración) ya no deriva del «mandato divino» y ni siquiera del autoritarismo interiorizado, sino de la frustración que se magnifica. Sujeto de clases populares, escucha bien: en la medida en que no consumes, o casi, tu humanidad está en entredicho y tu fragilidad se acrecienta volviéndose, ante tus ojos, un eco de la fatalidad. Y en la medida en que te amparas tras tu coraza de identidad, tu localismo se revierte contra ti, aislándote de lo contemporáneo. La nueva industrialización, recapitula Pasolini, ya no se contenta con que «el hombre consuma»; ahora ve en el consumo la única ideología concebible.

Las industrias televisivas requieren de la complicidad activa (del poder adquisitivo) de las nuevas generaciones, y por eso abren las puertas de la ilusión de pertenecer. Es posible, si se espera larguísimas horas, ingresar en un estudio de televisión; es irresistible la formación de grupos juveniles, o la participación en concursos de baile, o de concursos de niños que imitan a sus estrellas. Paulatinamente, las clases medias advierten el cambio de metas: sus hijos sueñan con hacerla en la televisión. Si fracasan y no consiguen un estelar o la presentación de su grupo en horario Triple A *(Prime Time)*, ya pensarán con humildad en ser grandes ejecutivos o Presidentes de la República.

¿Tiene caso hablar todavía de las combinaciones entre el optimismo y el pesimismo clásicos? Más bien, en la etapa actual la publicidad es el centro de la comprensión esencial de lo jerárquico, la apariencia juvenil según los comerciales es el estanque del Narciso individual y colectivo, y la ilusión del deseo satisfecho, de la masculinidad y la feminidad perfectas, del cuerpo como sensualidad tecnológica, es indispensable para sentirse pertenecientes a lo contemporáneo. A esto se agrega el fenómeno de integración latinoamericana que se da a través del espectáculo. A ciudades y sociedades cada vez más unificadas por la desolación y el arrasamiento especulativo, a economías gobernadas por el capitalismo bárbaro, llegan las filias y manías que la televisión impone y que, con mínimas variantes, se presentan igualmente en Lima, Caracas, Bogotá, Buenos Aires, San José, San Salvador, Ciudad de México, La Paz, Quito, São Paulo, Río de Janeiro, Guadalajara, y ya incluso en La Habana, para no mencionar el éxito en la ex Unión Soviética de la telenovela mexicana *Los ricos también lloran*, que a su intérprete principal, Verónica Castro, comparada con Simón Bolívar, le permitió el modesto envanecimiento, al ser entrevistada por Ana María González *(La Jornada*, 15 de septiembre de 1992):

–¿Cómo fue el recibimiento del pueblo ruso?
–¡Uy, me recibieron muy bonito!
–¿Por ti misma o porque ahora todo es nuevo para ellos?
–Bueno, ha cambiado su manera de ver las cosas. Lógicamente vienen de un sistema de mucha represión, de muchas provocaciones. Entonces, de repente, poder ver una historia con toda la libertad del mundo, apegada a la familia, como que los vuelve a reubicar como seres humanos...

228

–¿Cómo viste la nueva Comunidad de Estados Independientes?

–No, pues me di cuenta de que nosotros vivimos en el paraíso, con plena libertad. Aquí, por ejemplo, cualquiera puede pedir limosna en las calles. Allí no, puedes hacer un montón de cosas antes de degradarte para pedir limosna.

–¿Qué opinas del proceso por el que pasó la ex Unión Soviética y los conflictos que ahora se viven en Bosnia?

–Cuando volteo a ver la guerra y los pleitos estos, no los entiendo. Veo las noticias, me aviento todo el ECO, y veo la guerra como una película norteamericana de esas de acción en donde se matan y se destruyen. Yo lo veo así, pero no logro entenderlo porque nunca lo he vivido. Ésa es otra de las cosas maravillosas que tenemos que darle gracias a Dios: ¡que somos un pueblo que no ha sufrido nada! Hemos gozado todo. Y si sufrimos es por idiotas. Somos un pueblo privilegiado que nunca ha sufrido una guerra.

–¿Y la Revolución Mexicana y los movimientos sociales como el del 68?

–Bueno, pero de eso hace ya cuánto tiempo. Algo muy halagador fue que el vicepresidente de Rusia me dijo que ojalá hubiera llegado el doblaje de la telenovela a Bosnia, que así se pudo haber evitado la guerra.

–Con ese propósito de unir musicalmente a los latinoamericanos, ¿te crees cercana al pensamiento de Simón Bolívar?

–No, para nada. Mi propósito es unir musicalmente a toda América y lo logramos. Si después ustedes hacen comparaciones, es por parte suya.

Me he extendido en la reproducción de la entrevista no con tal de subrayar el humor involuntario, sino porque describe la nueva «conquista espiritual» de América Latina, y ejemplifica el grado de triunfalismo de la televisión comercial y del aura tecnológica que los gobiernos y las sociedades le reconocen. En el capítulo de la jactancia, Verónica Castro dista de ser la excepción, y su visión del mundo es, en lo básico, corporativa. En el ámbito latinoamericano, la integración comercial funciona. Las telenovelas se acercan al punto de la devoción internacional, los ídolos fabricados en serie retienen por un período de dos a cinco años la atención de las quinceañeras de todas las edades, la desinformación no convence pero aquieta, las canciones son consumidas con la fiebre que anticipa la pronta amnesia. A *los productos* los gobiernos les tributan reconocimientos, los públicos latinoamericanos se vuelven uno solo para celebrarlos, y su carácter efímero se equilibra con la eternidad previsible de las industrias. ¿Por qué no ufanarse de esta verdadera, irreprimible anfictionía? Si después ustedes hacen comparaciones es por parte suya.

Zoom a la sociedad de consumo a la que creen pertenecer los que apenas consiguen sobrevivir, y las clases medias en descenso. Pero si la sociedad de consumo es para los más una fantasmagoría («Avizoro el planeta y sus ofertas a través de los comerciales televisivos»), para otros es «el fin de la Historia». *Hasta aquí llegamos, hasta la adquisición a plazos de los objetos y las emociones que representan el porvenir.* Y ese «fin de la Historia» dispone de los modelos, los dechados de perfección provisional del show business.

Los ídolos del espectáculo convocan el afán de emulación de millones y millones en América Latina. Son púberes (los grupos Menudo, Chamos, Timbiriche); son jóvenes románticos que sexualizan letras pavorosamente banales (Luis Miguel, Enrique Iglesias, Ricky Martin); son cantantes (es un decir), y actores y actrices pero de telenovela, y conductores de programas juveniles, y –ocasionalmente– cantantes y compositores de talento. Y el vínculo es la sensación de provisionalidad, de reciclaje. En los círculos televisivos a estos productos los llaman «la Generación Kleenex». Estos *role-models* duran dos, tres, cinco años y son reemplazados por la exigencia de caras nuevas (indistinguibles de las anteriores), de voces distintas (exactas en todo a las que reemplazan), de actitudes cada vez más modernas (es decir, desenfadadas e incomprensibles). Sin ganas de imitar a Saturno, que quién sabe quién es, la industria televisiva devora a sus hijos artísticamente nonatos. Pero mientras duran, los ídolos reciben la adhesión salvaje de sus fieles que los imitan, memorizan sus canciones (empresa a la vez elemental y titánica), aúllan y se salen de sí al verlos y al oírlos desafinar, les plagian el vestuario y el corte de pelo, los estudian casi topográficamente, se miran en el espejo idealizado de sus entrevistas... En resumen, les transfieren los sueños de éxito y los trámites del habituarse a la cumbre. Admiradores siempre los hubo pero no tantos, ni tan fervorosos y amnésicos a la vez. Son la masa acrítica de la sociedad de consumo.

Tiene lugar un traslado masivo de ejemplos. Hasta la consolidación del proceso televisivo, los niños y los adolescentes manejan un repertorio fijo de admiraciones: los héroes de las novelas o las películas de aventuras (de Julio Verne y Emilio Salgari al Tarzán de Johnny Weismuller y Errol Flynn), los ídolos deportivos, las estrellas de cine cercanas a la infancia. Luego, aparece la «interacción».

«Aparecer de vez en cuando en la televisión
es como respirar a veces»

La televisión comercial: el orden nuevo de la vida latinoamericana. La gran ciudad: la forma suprema y la manifestación degradada de la cultura popular. Y entre ambas instancias, el alud de hechos que dan cuenta de lo inevitable del proceso: antenas parabólicas, cablevisión, cómics de superhéroes, humor rápida y malamente traducido, infinidad de productos que sacian, inventan, desvían y modifican necesidades, programas de televisión centrados en el triunfo de la

231

justicia norteamericana, libros donde se le enseña al lector a modificar su alma para obtener el ascenso, tecnologías refinadísimas, comunicación por satélite, manifiestos póstumos de la Villa Global macluhaniana, control de las telecomunicaciones por transnacionales, estrategias de consumo que pulverizan las perspectivas artesanales, «filosofías» del vendedor más grande del mundo, películas creadas en computadora tras un examen minucioso del mercado como único criterio artístico, Software audiovisual, agencias internacionales de noticias, desdén ante la historia de cada nación, imposición de un lenguaje mundial, negación de la existencia de las ideologías y circuitos de transmisión ideológica que van de la publicidad a la pedagogía, revolución informática, revistas femeninas, reordenamiento de hábitos de vida, traslado del homecomputer a los nichos y de los diskettes a los retablos.

Nada se gana con oponer al avance mediático los mitos «nacionalistas», con sus prevenciones antitecnológicas, sus quejas por la disolución de tradiciones, su homenaje acrítico a las concepciones patriarcales, su miedo pueril a la invasión del spanglish y las deformaciones de ese lenguaje que, con tal de no contaminarlo, sus protectores oficiales lo hablan con notoria escasez de recursos. Si algo se requiere no son ideologías a la defensiva, sino análisis que reconozcan la inmensa vitalidad popular que a lo mejor consigue sobrevivir.

Cristina: «un secreto que no se divulga, envenena el alma»

Preámbulo poblado de espantos

La nueva pesadilla para los guardianes del tradicionalismo: el fin de esa privacidad que es amor por la hipocresía y miedo pánico al Qué Dirán. Sin previo aviso, de ese gran closet de la vida familiar se escapan los secretos, que entretienen pero no asustan, mientras el temor al dedo-flamígero-de-la-sociedad abandona definitivamente el primer plano. ¿Y cómo revaluar lo privado en épocas de auge de lo público? ¿Y cómo enmudecer a sociedades donde ya no es causa de asombro que todos los amores quieran decir su nombre al mismo tiempo?

Donde la antigua mayoría se instala cómodamente
en un cubículo

El 20 de marzo de 1995, en el periódico *Siglo 21* de Guadalajara, México, la Alianza Fuerza de Opinión Pública (AFOP), otra aportación del membrete a las fantasías organizativas, hace una declaración contundente: «Pedimos la erradicación de las influencias extranjeras negativas en nuestra educación... Estamos en contra de que nos impongan conductores extranjeros que hablan mal el castellano y desprecian nuestros valores.» Nótese el salto mortal: *nuestra educación* ya no se obtiene en las escuelas sino ante el televisor, por lo que, muy probablemente, se le exigirá a la Constitución de la República legislar sobre el exterminio de herejías en las barras vespertinas. Según los censores, las series «españolas» (sic) difunden la inmoralidad, y urge reeducar a los niños de ocho a ochenta años, iniciando así «un programa de formación de la conciencia crítica del espectador, a fin de que esté capacitado para analizar y seleccionar su programación». Y en el ranking del odio, en lugar de la educación laica, tan evitable, aparece la televisión lujuriosa, tan inescapable.

El 24 de marzo, de nuevo en Guadalajara, la Alianza (integrada por grupos como Pro-Vida, Di Basta, Asociación Nacional para la Moral, y representantes del sector femenino del Partido Acción Nacional) convoca a un acto frente al Canal 4. Los asistentes, cerca de mil, visten de blanco emblematizando la pureza que protesta contra la inmoralidad de Televisa *(Siglo*

233

21, 25 de marzo). En el Canal 4 se le entrega un documento al director regional de la cadena. El acto, en su frenesí exorcista, es alucinante, y los carteles son significativos: «Televisa, arroja tu mierda al drenaje», «Fuera producciones que lesionen las buenas costumbres», «Empresarios, no patrocinen programas que agredan la moral y los valores trascendentales».

Se excomulga, o casi, a las series *Cristina, Queremos saber, Sabor de la Noche, Don Francisco* y *Cara a Cara*, y se exige la eliminación de la publicidad de los preservativos Sico y la campaña contra el cáncer de la Secretaría de Salud. Afirma la estudiante Beatriz Cuevas, de diecinueve años: «No estoy de acuerdo en que se anuncien preservativos como chocolates, pienso que la virginidad de la mujer es muy importante.»

Ante las oficinas del Canal 4 se rompen a martillazos varios televisores viejos cuyos despojos se arrojan a la basura, en respuesta al empresario Emilio Azcárraga, que afirmó no haber visto jamás aparatos de televisión tirados en la calle. De allí se marcha al Palacio de Gobierno, en donde el gobernador, Carlos Rivera Aceves, les avisa de su apoyo a «cualquier manifestación popular que beneficie el desarrollo y la consolidación de la familia», y les da un buen consejo a los dirigentes de la (un tanto escuálida) concentración: «Si no sirve la tele, hay que apagarla o boicotear a los patrocinadores.» Envalentonada por Rivera Aceves, la Alianza llama al pueblo: «Apaguen el televisor quince minutos en la noche y ya verán cómo el mismo Azcárraga tiembla.» (Nadie lo hizo.)

La derecha latinoamericana tiene gran experiencia en quema de libros y revistas, ha destruido incluso discos de rock (Bill Haley, Elvis Presley, Little Richard), y ha saboteado con violencia espectáculos teatrales y películas, pero, hasta el momento, se había mostrado reacia al fetichismo anti-televisivo, por cuestiones de sobrevivencia psicológica: también ellos, con muy escasas excepciones, extraen de «la Caja de Pandora electrónica» su información (¡Cómo anda el mundo!) y su esparcimiento (el gozo de invertir las horas ubicando las depravaciones). Como señala Fernando M. González en su análisis de esta marcha *(Siglo 21,* 30 de marzo), la sorpresa de la derecha es absoluta:

> ¡Quién fuera a decir que en el corazón del capitalismo se incubaba un mal quizás más insidioso que el comunismo ateo! Hemos pasado de «la amenaza comunista» que pobló el imaginario de varias generaciones, a los tiempos de «la ola de inmoralidad».

La ofensiva de la derecha es simultánea en América Latina. En 1994, una señora colombiana acude al recurso jurídico de la Tutela, y culpa a la televisión del comportamiento violento de sus hijos. El juez admite el argumento y emite su fallo: «Este tipo de imágenes son dañinas para el libre desarrollo de la personalidad de los menores de edad.» Y la sala civil del Tribunal Superior de Bogotá le da la razón al juez: «El niño como televidente está indefenso frente a los medios de comunicación.» Se prohíbe la transmisión de imágenes de sexo y violencia en la televisión colombiana, especialmente en horarios para todo público *(El Universal,* 9 de mayo). Y el 11 de mayo de 1994 el Consejo Nacional de Televisión de Colombia ordena el retiro de cuatro telenovelas: *Cara sucia* (venezolana), *Celeste* (argentina), *El pasado me condena* (colombiana) y *El desprecio* (mexicana), transmitidas antes de las ocho de la noche, hora en que cesa la prohibición *(El Universal,* 12 de mayo).

En el futuro todos habremos sido famosos sin saberlo

En cable primero y luego en televisión regular, *Cristina,* el «testimonio coral» que dirige la cubano-norteamericana Cristina Saralegui, ha gozado de las campañas antes monopolizadas por libros, pinturas, películas y conductas perseguibles. La derecha lo aborrece, y la izquierda y el centro-izquierda lo menosprecian reservándole burlas y parodias. ¿Por qué tanto encarnizamiento? Tal vez porque *Cristina*, así algunas de sus transmisiones parezcan distanciarse del molde, es un escaparate de casos límite, o de casos intolerables a ojos del tradicionalismo o del simple y antiguo buen gusto. Hay transmisiones banales y glorificaciones del nuevo costumbrismo, pero –creo– lo que en verdad arraiga en el público es la reaparición como show de lo que, todavía hace unos años, era motivo del silencio público y el rumor alarmado. Si algo, *Cristina*, con su montaña de prejuicios a cuestas, apunta hacia la nueva normalidad y la ampliación de límites del amarillismo. Conmociona genuinamente la presentación de la niña violada a los nueve años y que a los diez tiene a su hija, por ser este caso, se afirma, propio de *Insólito*, la publicación sensacionalista más carente de límites.

El debate se encona: ¿qué derechos tiene el amarillismo de existir? versus ¿hasta qué punto lo opuesto a la sensibilidad tradicional es amarillismo? En nivel distinto pero de algún modo similar, se polemiza en torno a los anuncios de Benetton, en especial el del enfermo de sida que agoniza en medio de su familia. ¿Qué es lo dominante en programas y anuncios: la ansiedad de no ver, de no enterarse, o el respeto genuino a la privacidad? ¿Dónde se localiza la causa del ultraje moral: en la hipocresía o en la compasión?

El formato de *Cristina*, muy común en la televisión norteamericana desde el éxito de Ophra Wimphrey, se funda en la masificación del talk-show, de los interrogatorios a celebridades y aspirantes a serlo. Al democratizarse la categoría de *entrevistable*, se redefine en un nivel la importancia de la gente anónima, lo antes descrito por el refrán: «A cada capillita le llega su fiestecita», y que hoy se ampara tras el dictum warholiano de los quince minutos de notoriedad que a todo individuo le corresponderán. Hayan oído o no el aforismo, millones de seres reivindican su contenido, muy al tanto de la secuencia: la televisión otorga la fama, la fama dura un día, y a lo largo de ese día el súbitamente famoso divulga y atesora la experiencia de la celebridad. La posmodernidad otorga imagen y voz a los desconocidos de siempre.

Al inicio de estas series, quizás se tomó en cuenta el ritual protestante del testimonio ante la comunidad (enunciación de viejos pecados que es exaltación de nuevas virtudes). Luego se aclaró la variante: en televisión la comunidad es, porque puede serlo, el planeta entero, y mi hermano es quien no cambia de canal. Y la franqueza implacable se ha dado al amparo de una premisa posfreudiana: cualquier vida, la que sea, oculta misterios, y esos misterios, en tiempo de negociación voluntaria de la privacidad, ansían ser dichos en voz alta. Ya no es hora de ocultamientos. Se vive solamente una vez. Tal vez ésta sea la reflexión del invitado: «No seré de la nobleza británica, pero tengo derecho a que indaguen en mi pasado.»

A estos programas se acude –y al respecto Cristina Saralegui es muy enfática– sin paga de por medio. En la búsqueda del Qué Dirán, antes tan temible, los invitados van de la confesión a la homilía, y refieren intimidades o vanidades entrañables seguros de concentrar la atención de ese padre espiritual, de ese psicoanalista multitudinario, el teleauditorio. Yo pecador estoy en el uso de la palabra *y ante cámaras*. Desde sus sillones, y sin inmutarse la mayoría de las veces, ellos y ellas lo cuentan todo y detalladamente. En ocasiones algunos lloran y otros arden en cólera, pero tal reacción es previsible en quienes, en primera y última instancia, son espectadores de sí mismos. Puntualizadas las reglas de juego, hacen su entrada los temas antes «inexistentes», virtualmente indecibles: el aborto, el incesto, el donjuanismo patológico, la homosexualidad masculina y femenina, la promiscuidad, el maltrato a los niños, la vida sexual en la Tercera Edad, el cambio tecnificado de cuerpo, la psicología de los violadores, la pasividad o la resistencia femeninas ante las golpizas conyugales, el travestismo, el cambio de parejas... Nada que se desconozca y nada que todavía hace poco se hubiese discutido o comentado ante tanta gente. Aquí lo noticioso es la gana de usar lo «inconfesable» para –según los invitados– extinguir los rumores («Me denuncio para que no me delates»), y según la empresa avanzar en el rating. Por lo demás, y dicho sea de paso, *Cristina*, la revista, aclara mejor que sus críticos la raíz y la índole del programa. Éstos son algunos de sus artículos: «Hijos de otro planeta. Testimonios de embarazadas por extraterrestres», «Fotos únicas. A los sesenta y un años da a luz por primera vez», «¡Atención madres! Cómo saber si la abuela traumatiza (o maltrata) a los nietos.»

Del silencio heroico a la confesión ante cámaras. ¿Cómo decirle a alguien que no sea el confesor los sucesos de la alcoba (que es el estuche del alma), las vicisitudes del vivir que nos enfrenta a diario a problemas y pecados? Los latinoamericanos de la primera mitad del siglo XX aún retienen el pudor, o las inhibiciones calificadas de pudorosas, aún conservan el terror no tanto por el pecado como por sus consecuencias teológicas, y aún mantienen algo igualmente trascendente aunque no se reconozca: el miedo al ridículo, que disuelve los prestigios a carcajadas. En un nivel, si una hija abandona la casa sin matrimonio eclesiástico de por medio, «es como si estuviera muerta»; en otro caso, si una circunstancia anómala ocurre en la familia, «aquí no ha pasado nada»; en un registro distinto, si el impulso se tropieza con los prejuicios, se renuncia al impulso, porque «cómo se reirían los vecinos si me vieran en estas fachas o con alguien más joven que yo. Una vieja de cuarenta años no tiene derecho a andar con un niño de treinta y cinco».

Más tarde, con dedicatoria exclusiva a un sector social, aparece el psicoanalista o el psicólogo, y con esta especie la desinhibición comienza, más acusadamente si es terapia de grupo. La divulgación freudiana va convirtiendo los «secretos del alma» en guardarropa del inconsciente o de la canallez de la infancia, siempre dispuesta a vengarse de su descendiente, la edad adulta.

238

Sin embargo, nada hacía prever, salvo ciertas consecuencias de la americanización, lo que ocurre en los noventas, cuando, de manera súbita, se incursiona en lo hondo de la timidez o se abarata el terror al ridículo, para dar paso al cúmulo de confesiones. De pronto, lo difícil es callar a quienes cuentan su vida en medio de la plaza (o de programas televisivos). El que puede o la que puede descarga sus adentros, y le refiere al auditorio su descontento o su alegría ruborosa por tener senos pequeños, provocar la alarma en una reunión por el esplendor ciclópeo de su busto, necesitar dos asientos en el avión para descargar su humanidad, tener cinco medio hermanos de distinto padre cada uno y no saber si hay tal cosa como el incesto a medias (no que se quiera), disponer de un marido *stripper* que ensaya ante la mujer aunque a ella le aburra el show, tener una esposa bailarina de burlesque, saber que el hijo es homosexual o es heterosexual, enterarse de que su padre murió años antes de que él o ella nacieran, ser sadista o masoquista, etcétera. Y, al masificarse el morbo, viene muy a menos el Qué Dirán.

«Esa palabra ni siquiera se mencione»

El éxito de *Cristina*, de ninguna manera desmedido, enfurece a la derecha latinoamericana. Les ofende, y drásticamente, que en televisión, la meca de la vida familiar, se prodiguen palabras que el Decoro, el Pudor y las Buenas Costumbres sentían eliminados por siempre y para siempre del seno del hogar. Así lo indica, sobresaltado, un ex presidente del PAN, José González Torres:

> Prescribía San Pablo a los cristianos que no hablaran de inmoralidad. Esta palabra «ni siquiera se mencione entre vosotros» *(necque nominetur in vobis)*, declaraba categóricamente. Y es que la sola mención del mal hace que el hombre se familiarice con él, perdiéndole el asco y el mie-

do. Por eso los diseñadores de programas inmorales ponen como primer paso el fomento del diálogo intenso sobre el tema. Aunque se hable en contra, pero que se hable; que se abra camino el tema. Y así obran los conductores de programas indecentes *(El Universal,* 27 de abril de 1993).

Con todo respeto para la frase, en el pecado la derecha lleva la penitencia. Con tal de –literalmente– no hacerle propaganda al infierno, se veda a sí misma la emisión de lo hoy tan divulgado por la sexología (con frecuencia, en sus versiones de las revistas de Miami), términos como vagina, pene, falo, coito anal, menstruación, mamas, clítoris, etcétera, y sólo ha fracasado ante sí misma en su intento de neutralizar el condón diciéndole «preservativo». Privada de vocablos específicos, la derecha se encadena al lenguaje de las alusiones, al rodeo infinito, a las miradas despreciadoras, tan inexpresivas. La creencia básica –«lo que no se nombra no existe»– aísla e incomunica a los tradicionalistas. El obispo Luis Reynoso, de Cuernavaca, va al programa a combatirlo y dialoga con Cristina:

Obispo: Mire lo que escribe Guadalupe Loaeza de un programa de usted. Chica, ¿qué tú hiciste cuando los viste juntos a tu marido y a tu hija?
Cristina: Perdóneme, Monseñor, lo que molesta es que yo utilice la palabra chico, pero así hablamos nosotros.
Obispo: El modo en que se hacen las preguntas fomenta el morbo *(abucheos del público).*
Cristina: Es que yo soy directa. ¿Es morboso preguntar cómo le hiciste con tu homosexualidad? *(el público grita:* ¡Noooo!).
Obispo: Esas preguntas están muy bien en la intimidad, con el psicólogo o el psiquiatra, pero no en uno de sus programas.
Cristina: Monseñor, es que nuestro programa es una

sesión de terapia para todo el público (*gritería en el estudio: Síii*).

Evítese en la pantalla pequeña cualquier referencia a lo que ofenda a la sociedad ideal del tradicionalismo. Decir *condón* es recordar la existencia del sexo masculino; decir *vagina* es disminuir la discreción natural del sexo débil (y la expresión «sexo débil» es más valiosa que «discreción»). Contrariado y a la deriva, el nominalismo que identifica palabras y acciones retorna al amparo de la influencia del clero católico en los gobiernos, del espanto ante los alcances de la secularización. El nuevo lema: «Cristianismo sí, hedonismo no.»

¿Quiénes son los anunciantes de la moral anticonsumista?

A quienes narran el infierno de sus vidas, los tranquiliza la regla inesperada: ante las cámaras de televisión todos somos intercambiables y la sobreinformación –el aprovechamiento industrial de las noticias a medias– podría matar el escándalo, atributo de las celebridades, por lo demás. Ahora, si se quiere que perdure, hágase escándalo en torno al escándalo, para fomentar alguna conciencia de culpa entre quienes ya no se escandalizan.

Los invitados de *Cristina* informan de su fuero interno y externo a quien tiene prendida la televisión, y lo hacen a la sombra del «relativismo moral» que cambia el «Si Dios está muerto, todo está permitido» por el «Si Dios no se deja ver anunciemos su reaparición en horario estelar». Y la sinceridad que la derecha juzga «descaro» se alimenta de una certidumbre: son numerosos los comportamientos humanos que el proceso civilizatorio ya admite sin problemas, y lo más condenable hoy tiene que ver con los atropellos a los derechos humanos (el crimen, el genocidio, la guerra, la violación, la violencia contra seres indefensos, el saqueo de los recursos comunitarios, los delitos ecológicos, etcétera). Voluntaria e involuntariamente, *Cristina* representa las fisuras crecientes de la moral autoritaria mientras garantiza a sus anunciantes que las «audacias» presentadas ya forman parte del repertorio social. Así, el eje del programa no son las situaciones extremas sino el reconocimiento de la nueva moral pública que, entre otras cosas, se impone sobre la vieja táctica de los silencios que son autorreproches. Y este derrumbe de inhibiciones cunde entre los hispanos de Estados Unidos, de alguna manera vanguardia del comportamiento en el universo latinoamericano.

No minimizo a la censura ni creo desaparecidos los poderes inhibitorios de la derecha en pueblos y ciudades medias de América Latina. Pero sus posibilidades menguan ante las dictaduras de la demografía y la televisión.

«Se escogieron todos los platillos juntos»

Ante las protestas por *Cristina*, Televisa opta por la confrontación directa, apostando, supongo, por las reglas de juego que la televisión ha ido creando. Al día siguiente de la marcha de Guadalajara, el 25 de marzo, Cristina dialoga en el Canal 2 con algunos de sus opositores, tres representantes de la Unión de Padres de Familia (UPF) y el obispo de Cuernavaca Luis Reynoso.

El programa no defrauda. Se ratifican las limitaciones (sintácticas, lógicas, argumentales) de la derecha, con todo y Monseñor, y Cristina es alternativamente áspera y sentimental, reitera las maravillas de su feudo televisivo, intimida, interrumpe y desafía a sus invitados cuantas veces quiere (el obispo incluido), adopta como un niño la libertad de expresión, habla sin cesar y controla el debate. He aquí una muestra:

Monseñor: Yo quiero ser muy positivo. No me sentiría a gusto si nos fuéramos de este programa y no hablara lo que como obispo y como católico debo decir. En primer

242

lugar, sabemos que hay una legislación sobre los medios de comunicación y en concreto sobre la radio y la televisión. Ciertamente que la ley, el Artículo 10 Fracción 1, otorga facultades y competencias para vigilar que las transmisiones de radio y televisión se hagan dentro de los límites del respeto a la vida, a la dignidad y a la moral; no ataquen derechos de terceros ni perturben el orden y la paz públicas. Por lo tanto, quiero que quede muy claro, asentado, que la libertad de expresión tiene sus límites.

Cristina: Padre, tengo una pregunta. Obispo, mi pregunta no es decir que la libertad de expresión no tiene límites, mi pregunta es ¿quién los pone?

Monseñor: Sí. Los límites los pone precisamente la autoridad.

Cristina: O sea, no el país, no el público.

Monseñor: Hay que tener también en cuenta que las leyes y los estados no nacen solos. Las leyes tienen su padre y su madre. El legislador es el padre, y la sociedad, el pueblo y las costumbres son la madre. Por lo tanto, las leyes tienen que estar de acuerdo, para que sean verdaderas leyes. En segundo lugar, debemos distinguir la simpatía. Cómo se presentan las cosas, y fondo y contenido. Ahora, en cuanto al contenido, todos los temas que usted ha presentado se refieren a aberraciones. Aquí quisiera hacer un paréntesis. Se escogieron todos los platillos juntos.

Cristina: ¿Y por qué?

Monseñor: Eso no debió haber acontecido y nos formamos una idea de que Cristina está obsesionada por el sexo.

En cada oportunidad, la derecha da pruebas de su condición: lee poco y mal (obsérvese su discurso público, tan inconexo y tan dependiente del dicterio y las amenazas), y lleva un siglo cortada de los debates contemporáneos y enmarcada por el antiintelectualismo más anacrónico, que se obstina en ser molino de viento. Por eso, en sus irrupciones televisivas abundan los balbuceos, las repeticiones delirantes, el uso de la identidad nacional como si fuera un hijo tonto, los argumentos pétreos del chovinismo («México es así, y no de otro modo») y la seguridad última: si la mayoría del pueblo es católico, el conjunto de los espectadores nos apoya incondicionalmente. Ya lo dijo el obispo Javier Lozano Barragán: «Culturalmente hablando, el patrimonio del país es católico y si alguien tiene que velar por él somos nosotros» *(Unomásuno*, 22 de abril de 1993). Y todo esto lo vertebra la más encendida incoherencia. Reproduzco un diálogo:

Francisco González Garza (Presidente de la UPF): Cristina..., quisiera decir dos reflexiones. Una, sí nos preocupa ahora esto que tú mencionas, porque no desconocemos que venga uno y otro o más programas en ese sentido. Yo no quiero que te lleves la idea ni de que los mexicanos somos ni ignorantes, ni desconocemos...

Cristina (interrumpe): Ay, señor, si yo conozco a los mexicanos hace veinticuatro años. Lo que no permito es que ponga palabras en mi boca porque yo no pongo palabras en la suya. ¿O.K.? ¿Cómo me va a decir a mí que los mexicanos son ignorantes? [...] ¿O.K.? Entonces, ¿de qué estamos hablando?

Francisco: Mira, mira, nosotros pensamos, concluir, que los programas estos o en el formato y en el fondo son programas, insisto, a mi modo de ver, que informen, formen y sean constructivos o, insisto mucho, que el público mexicano, que es muy diverso, que son jóvenes de todas las edades, que tienen distinta formación, distinta preparación, se verían de alguna manera lesionados. Yo insisto en que tenemos que provocar los programas que puedan, que lleguemos a conclusiones que, pedagógicamente, sean válidos, y que sirvan para la construcción, formación del México que estamos no solamente viviendo, sino dispuestos a engrandecer. Me parece que es real que estamos en un mundo abierto en donde no creas que los mexicanos tenemos ni miedo a la competencia, ni miedo a otras culturas, sino creo, creo, creo yo que los países que se centran en valores y tienen contenidos pueden no solamente transportar técnicas, sino van a transportar valores. Yo aspiro, y te lo quiero pedir como una invitación de reflexión, que saques lo rico, la riqueza y lo mejor, lo mejor del pueblo mexicano...

Cristina (interrumpe): Eso lo hace Raúl Velasco...

En la confrontación la derecha pierde. Quedan de relieve la intolerancia, el nivel preverbal, los vínculos entre pérdida de vocabulario y renuncia a cualquier poder expresivo, la angustia de quienes creen representar las convicciones mayoritarias y de pronto se sienten en minoría. «América Latina debe exportar su moral familiar», insisten, queriendo finiquitar el debate, pero carecen de convencimiento porque –ya alguien lo dijo– si algo se facilita es ser liberal a costa de la Edad Media, y porque, en la división de trabajo de la tele, los dogmas quedan a cargo de los comerciales.

A MANERA DE EPÍLOGO

En los inicios del siglo XX las minorías ilustradas (las Ciudades Letradas) de América Latina, sobreviven como pueden a la indiferencia, el rencor antiintelectual, la escasez de lectores, la ausencia de bibliotecas públicas, museos y casas editoriales, el analfabetismo de las mayorías, el recelo eclesiástico ante todo conocimiento no autorizado (la dictadura del Nihil Obstat) y, muy especialmente, a la gravísima sensación de marginalidad, de habitar las penumbras periféricas. Salvo el muy notable ejemplo de los poetas modernistas, que vivifican el idioma, introducen elementos laicos en la noción de lo espiritual y convierten la poesía en espectáculo para multitudes, la producción artística y cultural se obstina, porque no le queda otra, en el autoconsumo. Y lo que se ignora por el aislamiento, y lo vetado rigurosamente por la censura, incluye muchísimo de lo mejor de los adelantos en Europa: la vanguardia artística (Dadá por ejemplo), la pintura renovadora de los expresionistas alemanes y los vanguardistas (Picasso, Matisse, Klee, entre otros), el inicio del psicoanálisis y las tesis de Freud, el marxismo de los comienzos, etcétera. Disminuida a diario por la incomprensión, desdeñada por los gobiernos y las sociedades, la cultura latinoamericana o la suma de las culturas nacionales, como se prefiera, se expresa a través de movimientos interrumpidos de tajo y de creadores necesariamente incomprendidos.

A fines del siglo XX la situación se presta con holgura a la esperanza y la desesperanza, con ventaja notoria del segundo término. Los rasgos de ese período son contradictorios y complementarios: la diversidad se impone como tema y constancia de la ampliación de espacios, se le da la bienvenida a la posmodernidad, se vislumbra sin precisión y con entusiasmo el multiculturalismo, la globalización moderniza y pone al día a sectores significativos, los intelectuales ya no son visionarios sociales sino «figuras mediáticas» (las encuestas reemplazan a las profecías), la industria del espectáculo desplaza a la cultura popular que recibe el estímulo inesperado: la boga de los Estudios Culturales. Se encona el debate sobre multiculturalismo, pluralismo y diversidad. Según unos son las realidades largamente esperadas; de acuerdo con otros son términos vanamente festejados. Se renueva el vocabulario general por razones de la tecnología y de la vida académica. Entre las nuevas palabras clave aparecen las oposiciones: incluir/excluir; local/global; monológico/dialógico; público/privado. La internacionalización es un hecho que, en diversos niveles, a todos afecta.

Viene a menos *el espíritu utópico*, en el sentido de la carga del porvenir deseable que va más allá del presente. La derecha cree llegada la hora de restaurar los controles clericales del siglo XIX. La tolerancia se intensifica pese a todo.

Donde el fin de la historia se confunde con el culto a Baal

En América Latina es costumbre convertir expresiones (descriptivas en su origen) en armas del determinismo de toda índole. Ha sido muy costosa la asimilación popular de algunos de estos términos: *países periféricos, subdesarrollo, sociedades marginales, marginalidad, Tercer Mundo* y *tercermun-*

dismo. Fórmulas que se pretendieron económicas y sociológicas, pronto se incorporan, como autoburla o autodenigración, a la psicología de masas. Los vocablos exterminadores son señas de inferioridad natal: «Qué le vamos a hacer, si somos tercermundistas.» *Local* es ya una descripción condenatoria.

Al extinguirse oficialmente la Guerra Fría con la caída del Muro de Berlín, el auge neoliberal busca convertir *el mercado libre* en el tótem que preside la eternidad del capitalismo, en la inevitable versión salvaje. Además de su connotación específica, *el mercado libre,* ideología soberana, es la operación que, al calificar todo lo vivido hasta 1989 de «prehistoria», deposita el sentido de lo real en los vínculos entre producción y consumo. En América Latina, los empresarios ven en sus acciones el cumplimiento de las profecías de la abundancia, e identifican la suerte de la minoría privilegiada con el único porvenir concebible, en un orden donde la gloria del capitalismo persistirá siglos después del Juicio Final. Antes detenidos de algún modo en su ambición por las demandas de la justicia social, los industriales y los especuladores proclaman el credo de la acumulación monopólica, con fervor en algo semejante al marxista de 1935 o 1972. En los medios masivos, todo es ideología del mercado libre e irrestricto, y se implanta el protocolo de cambios: donde se hablaba de *equidad* aparece *la caridad cristiana* (ocasional), donde decía intereses del pueblo se dice *capitalismo popular,* el verbo *privatizar* sustituye a *nacionalizar* y *la conciencia de clase* cede el sitio a *la resignación.* El mercado libre aspira al rango de culto de índole religiosa, en el lugar exacto donde estuvo la revolución. Y los convertidos al credo financiero ejercen el odio a la discrepancia antes asociado con el estalinismo. De los vencedores es la ira que a sí misma se sacraliza.

A la izquierda la detiene y confunde la caída del socialismo real, con sus preguntas adjuntas: ¿es ya el socialismo una meta anacrónica, gracias a los resultados funestos de lo que usurpó su nombre? ¿Quién, de hoy en más, logrará huir del capitalismo? ¿Salen sobrando hoy los ideales de justicia social? En América Latina, casi todo tiende a solidificar el nuevo determinismo: no hay más ruta ni devoción que el mercado libre. Y esto va a contracorriente de otro fenómeno, vigorizado también por los acontecimientos en Europa del Este: la decisión democrática tan extendida en América Latina, y tan limitada por los altos costos (económicos y políticos) de la información.

¿Qué sentido tiene, en el caso de las clases marginadas económicamente, hablar del «fin de las utopías»? Para millones de personas, alejadas de la prédica revolucionaria, este «fin de las utopías» no las afecta. Sus metas ideales suelen contenerse en el universo de veinticuatro horas, y equivalen al sueño de la sobrevivencia. Pero agrede a sus muy escasos derechos la identificación entre luchas sociales y subversión anacrónica. A nombre del fracaso (evidente) del socialismo, los neoliberales buscan eliminar toda disidencia y presentar lo que sucede (la crueldad de la gran concentración de la riqueza) como lo que debe suceder. En este sentido, se va del cinismo a la arrogancia, y un texto ejemplar al respecto es el del empresario mexicano Lorenzo Servitje («Desigualdad: un punto de vista incómodo», *Nexos*, 153), que encumbra a quienes tienen «una capacidad poco común de acrecentar los bienes disponibles». Afirma Servitje:

> La capacidad de dichas personas de crear y acumular riqueza genera una desigualdad social y económica que es resentida por los demás. Hay una sensación de injusticia y con frecuencia los gobiernos tratan de corregirla quitándoles a los que tienen para darlo a los que no tienen.
> En el corto plazo este intento de redistribución funciona. Sin embargo, transcurrido poco tiempo los grupos productivos, que hicieron posible el que existieran recursos ex-

cedentes, reducen o suspenden su aportación productiva. La sociedad en su conjunto sufre.

Desde un punto de vista cristiano o humanista sería bueno y noble que estos grupos productivos, y aun ricos, dedicaran los frutos de su ahorro a ayudar a los demás o que vivieran modestamente. Esto en la vida real no es probable que ocurra. La experiencia histórica comprueba que la desigualdad económica resultante es un mal menor con el que tenemos que vivir y que por lo tanto hay que aceptar.

Ad majorem Dei gloriam. Servitje sabe de lo que habla. La generosidad de los empresarios es de corto alcance, la injusticia es incorregible, querer un mínimo de equidad es contraproducente, los burgueses carecen de todo altruismo, y es mejor entender la desigualdad como mal menor, que Dios o sus representantes sobre la tierra seguramente bendicen. A la sociedad integrada mundialmente o globalizada por el mercado capitalista la exalta el fracaso de los sistemas contendientes. El capitalismo institucionaliza la miseria en América Latina y devasta los recursos naturales. A su favor tiene, entre otras cosas, zonas de prosperidad y libre expresión, la ausencia de alternativas, la fascinación portentosa de la sociedad de consumo y el apoyo entusiasta de los Medios Masivos.

La educación pública: el universo de los reprobados

«Un continente pasado de moda.» A diario se hallan elementos que ratifican el filo devastador de la frase. En la globalización, muchas de las economías nacionales se quebrantan, el empleo se reduce en términos relativos, y a veces absolutos, al grado de que entre los atenuantes del desastre figuran de modo prominente las exportaciones de droga, la inmigración y la economía informal; se viene abajo el gasto real en educación, vivienda y asistencia.

El determinismo del mercado libre se apoya en privado o público en la zona catastrófica de la educación. Entre los jóvenes de las universidades públicas privan el desaliento, la desesperanza, la apatía, todo lo derivado de la gran certidumbre: el futuro conocido o previsible ya no nos acompaña. Se evaporó lo todavía prevaleciente en 1970: la mística de las oportunidades al alcance, el alborozo que ansiaba transformar la totalidad, que no otra cosa es la utopía. En vez del sueño de la movilidad social, la comprobación del ascenso sin interrupciones: el de los jóvenes de las universidades privadas, la élite garantizada de los gobiernos y las finanzas, los beneficiarios directos de la historia (que según se dice ya no ocurre). Los egresados de universidades públicas, expulsados del «ritmo de la nación», ya no confían siquiera en el camino tradicional del oportunismo y asumen el desencanto y la frustración.

La sacralización de la desigualdad repercute drásticamente en la vida académica y la vida intelectual. Se detiene el crecimiento de la industria editorial, nunca muy satisfactorio, el libro se va convirtiendo en objeto de lujo, y, amparada en el criterio de rentabilidad, la política cultural de los gobiernos vuelve al punto de partida de principio de siglo, cuando se creía devotamente en la incapacidad orgánica del pueblo en materia de cultura. A este desdén lo norman otros factores. Entre ellos:

– La fe de la élite en la desidia innata de las mayorías que, «por razones constitutivas», no son susceptibles de verdadero gusto artístico o de formación literaria e intelectual.

– La separación, según criterios escolares, entre la educación y la cultura, con desastrosas consecuencias en la enseñanza.

«*Si no viajas a Europa, tú, el de los muy escasos recursos,
es porque no quieres*»

Mensaje a los pobres de los gobiernos y de gran parte de
los sectores ilustrados: oh tú, pueblo, si no lees a los clásicos,
si no te apasionan los fauves y los expresionistas, si no estás
al día en materia de vanguardias estéticas, es porque así lo
quieres, tu desidia es *indiferencia culpable* ante las obras del
espíritu. Otra vez, la responsabilidad es sólo de las víctimas.
Pero la realidad es distinta, y esto se nota al configurarse la
sociedad de masas. Mucho se avanza en estos años. En las
grandes ciudades las ofertas de la industria cultural crean
mercados con frecuencia insólitos. También, el auge de la
enseñanza media y superior transforma la relación de la sociedad con el arte y las humanidades. Y no son pocos los que
desean hacerse de otros gustos y se esfuerzan al respecto.
Deslumbrados con el espacio imaginativo y deseosos de con-
trarrestar la monotonía de sus vidas, leen lo que pueden, cul-
tivan su sensibilidad, se aficionan al arte a su alcance y quieren, sin saber muy bien cómo hacerlo, entretenerse y pensar
de otra manera, así los recursos sean limitados y no aparez-
can apoyos sociales y estatales.

Para llegar a las oportunidades de consumo cultural deben trascenderse la inercia, el encarecimiento del proceso informativo, las sensaciones inducidas de inferioridad ante el
conocimiento. Luego del esfuerzo inicial, pocos persisten en
la lectura (el analfabetismo recurrente), pero se acrecienta el
número de los que mudan de hábitos de consumo cultural,
no obstante la cerrazón social y la falta de posibilidades ad-
quisitivas, acentuadas en ciudades medianas y en pueblos. Y,
además, ¿cómo reaccionar debidamente ante la pintura clásica o contemporánea?, ¿cómo acercarse al ballet o la ópera?,
¿cómo integrar, con o sin jerarquizaciones, la música culta,
el rock, el bolero, la música oriental o la africana?, ¿cómo entrar sin inhibiciones a una librería?, ¿cómo enterarse de qué

253

publicaciones leer y qué obras de teatro y películas ver? Si no se va al teatro es porque no se ha ido antes, y en materia artística la tradición favorece la apatía. Si no me informo, ¿cómo puedo estar motivado?

No hay conclusiones, tal vez sólo la cita de José Lezama Lima: «El gozo del ciempiés es la encrucijada.»

ÍNDICE